PASSAPORTE
PARA PORTUGUÊS

Caderno de Exercícios

Nível B1

Robert Kuzka / José Pascoal

EMPRESA PROMOTORA
DA LÍNGUA PORTUGUESA

Lidel – edições técnicas, lda

EMPRESA PROMOTORA
DA LÍNGUA PORTUGUESA

A **Lidel** adquiriu este estatuto através da assinatura de um protocolo com o **Camões - Instituto da Cooperação e da Língua,** que visa destacar um conjunto de entidades que contribuem para a promoção internacional da língua portuguesa.

EDIÇÃO E DISTRIBUIÇÃO
Lidel – Edições Técnicas, Lda.
Rua D. Estefânia, 183, r/c Dto. – 1049-057 Lisboa
Tel.: +351 213 511 448
lidel@lidel.pt
Projetos de edição: editoriais@lidel.pt
www.lidel.pt

LIVRARIA
Av. Praia da Vitória, 14 A – 1000-247 Lisboa
Tel.: +351 213 511 448
livraria@lidel.pt

Copyright © 2017, Lidel – Edições Técnicas, Lda.
ISBN edição impressa: 978-989-752-193-5
1.ª edição impressa: maio 2017
Reimpressão de julho 2019

Conceção de layout e paginação: Pedro Santos
Impressão e acabamento: Cafilesa - Soluções Gráficas, Lda. - Venda do Pinheiro
Depósito Legal: 425986/17

Capa: Tiago Veras
Imagem da capa: © Tiago Veras

Imagens: www.fotolia.com; www.istockphoto.com; www.shutterstock.com; Robert Kuzka

Glossário:
Tradução: Eurologos (Português-Espanhol/Francês/Inglês), Ka Man Chan (Português-Mandarim)
Revisão: Robert Kuzka, José Pascoal

Todos os nossos livros passam por um rigoroso controlo de qualidade, no entanto, aconselhamos a consulta periódica do nosso *site* (www.lidel.pt) para fazer o *download* de eventuais correções.

ÍNDICE

1

COMUNICAÇÃO	VOCABULÁRIO	PRONÚNCIA	GRAMÁTICA
fazer perguntas, falar sobre si e sobre as rotinas diárias, perceber instruções na sala de aula	caracterização pessoal, rotinas diárias	alfabeto, vogais orais	revisão do presente e do futuro, revisão do imperativo, verbos com irregularidades

A. Complete as frases com as preposições em falta.

1. Hoje estás cheio *de* energia.
2. As aulas vão terminar _____ breve.
3. Acordo sempre _____ horas.
4. Porque é que estás _____ tanta pressa?
5. O Rui chegou ao escritório antes _____ hora.
6. Tenho problemas _____ adormecer.
7. Sou alérgico _____ leite.

B. Complete as frases com as palavras da caixa.

> ave ~~cortinas~~ continente madrugada
> instrumento natal noitadas estimação

1. Podes fechar as *cortinas*?
2. Tens algum animal de _____?
3. Detesto levantar-me de _____.
4. O Canadá fica no _____ americano.
5. O Mário não gosta de fazer _____.
6. Como se chama a sua cidade _____?
7. O piano é um _____ musical.
8. O papagaio é uma _____.

C. As frases abaixo têm erros. Reescreva-as sem erros.

1. A quanto tempo moras na Lisboa?
   Há quanto tempo moras em Lisboa?
2. Acordo sempre as 6 de manhã.
   _____
3. Que tipo de livros gostas?
   _____
4. A senhora têm bagagem da mão?
   _____
5. A Ana, normalmente, chega para casa tarde.
   _____
6. Desculpa, mas não lembro o seu nome.
   _____
7. Lisboa é maior cidade do Portugal.
   _____

D. Sublinhe o(s) verbo(s) correto(s). Em algumas das frases há mais do que uma opção correta.

1. O jantar está pronto. Podes **fazer/pôr/tapar** a mesa?
2. O Diogo **faz/dá/tem** anos na terça.
3. A Ana **leva/tem/toma** duche de manhã.
4. No verão, vou **dar/fazer/ter** uma viagem à Escócia.
5. Querem **dar/fazer/tomar** um passeio?
6. Quando é que vais **dar/tirar/ter** férias?
7. Anda, vamos **beber/tomar/ter** um café!
8. O que **tomas/comes/tens** ao pequeno-almoço?
9. Vou **dar/fazer/tomar** uma festa no próximo fim de semana.
10. O Rui nunca **toma/come/leva** o pequeno-almoço.
11. Preciso de **dar/fazer/ter** uma chamada.
12. Não é preciso **descalçar/despir/tirar** os sapatos.
13. No inverno, na Rússia **está/faz/há** muito frio.
14. Na sexta, vou **fazer/passar/tomar** um exame.
15. Tenho de ir **levantar/tomar/tirar** dinheiro.

E. Complete as frases com a palavra em falta.

1. Onde/que estão as chaves do carro?   *é*
2. Que cor são aquelas calças?   _____
3. Este é restaurante mais caro que conheço.   _____
4. Qual é tua bebida preferida?   _____
5. Preciso falar com os teus pais.   _____
6. Vamos a Espanha daqui três dias.   _____
7. Vamos começar preparar o jantar.   _____
8. Não emprestei dinheiro ninguém.   _____
9. O teu carro é melhor que o meu.   _____
10. Não sei que me apetece beber.   _____
11. Não esqueçam de fechar a porta à chave!   _____
12. Toda gente gosta de sobremesas.   _____
13. Que mês estamos agora?   _____
14. Esta loja está aberta todos dias da semana.   _____
15. Nunca mais volto falar contigo!   _____

F. Qual é a palavra desnecessária nas frases? Encontre-a e elimine-a.

1. Vocês ~~que~~ vão fazer o quê amanhã?
2. Ninguém não está em casa agora.
3. Não consigo a abrir a porta.
4. Tenho a certeza de que tudo vai a correr bem.
5. Este casaco não lhe fica nada de bem.
6. Tu deves de saber onde estão as chaves.
7. Apetece-me a beber um chá.
8. A tua mala está por debaixo da mesa.

G. Reformule as frases usando o verbo sublinhado na forma do Imperativo.

1. A Ana não quer <u>vir</u> connosco ao cinema.
   Ana! *Vem connosco ao cinema!*
2. A Marta e a Sofia não <u>ouvem</u> a mãe.
   Marta! Sofia! _____!
3. O Nuno e a Ana <u>fazem</u> barulho.
   Nuno! Ana! Não _____!
4. A D. Rosa não consegue <u>ser</u> paciente.
   D. Rosa! _____!
5. O Sr. Alves não quer <u>sentar-se</u>.
   Sr. Alves! _____!
6. A Teresa e o Rui estão sempre a <u>discutir</u>.
   Teresa! Rui! Não _____!
7. O Sr. Costa não <u>para</u> de falar ao telemóvel.
   Sr. Costa! _____!
8. O Nuno e a Rita nunca <u>põem</u> o lixo na rua.
   Nuno! Rita! _____!
9. O Sr. Santos tem de <u>despir</u> a camisa.
   Sr. Santos! _____!
10. O Afonso <u>foge</u> quando vê a tia.
    Afonso! Não _____!

H. Complete as frases com o artigo definido onde necessário.

1. O que é que há para *o* almoço?
2. Tenho de fazer _____ barba.
3. Ainda não tomei _____ duche.
4. Ainda não escovei _____ dentes.
5. A Ana sabe tocar _____ guitarra.
6. Ontem, ao almoço, comi _____ peixe.
7. Não gosto de apanhar _____ sol.
8. Olá, _____ meu amigo! Como estás?

I. Leia o texto sobre um dia típico do Mário e complete-o com os verbos da caixa na forma do Presente do Indicativo. A seguir, leia as frases abaixo. São verdadeiras (V), falsas (F) ou a informação não consta no texto (NC)? Assinale.

> ~~começar~~ deixar ficar ser preparar viver sair ir correr encontrar-se conseguir

Normalmente, levanto-me cedo. Às 7h *começo*[1] a fazer o pequeno-almoço. É a primeira refeição do dia e é muito importante tanto para os adultos como para as crianças. _____[2] sempre cereais, fruta e, ao fim de semana, também faço ovos com salada de tomate e queijo. Não _____[3] passar sem as torradas e, sobretudo, sem os doces. _____[4] de casa às 8h e pouco. _____[5] os filhos na escola, que começa às 8h30, e depois vou para o trabalho. Como _____[6] e trabalho na cidade, não tenho de andar de carro. Durante a manhã, gosto de tomar um café e comer uma peça de fruta. O almoço é a outra refeição importante do dia: sempre com sopa, salada e alguma carne ou peixe. Depois de comer, _____[7] com sono. Infelizmente, não posso dormir. Por isso, faço coisas em que não tenho de pensar muito. O trabalho continua até às 17h, mais ou menos. Como _____[8] fã de atividade física, depois do trabalho, vou à piscina uma vez por semana, _____[9], também uma vez por semana, e vou ao ginásio, uma ou duas vezes por semana. _____[10] com a minha família em casa mais ou menos às 19h. Depois de uma refeição leve, vejo televisão ou leio um pouco. _____[11] para a cama por volta das 23h.

a. O dia do Mário começa às 7h. [V] [F] [NC]
b. O Mário é guloso. [V] [F] [NC]
c. O Mário não tem carro. [V] [F] [NC]
d. À tarde, ao Mário, apetece-lhe dormir. [V] [F] [NC]
e. O Mário gosta de desporto. [V] [F] [NC]
f. O Mário come pouco ao jantar. [V] [F] [NC]

UNIDADE 2

TEMOS ALGO EM COMUM!

COMUNICAÇÃO	VOCABULÁRIO	FORMAÇÃO DE PALAVRAS	GRAMÁTICA
falar sobre o conhecimento de línguas, falar sobre o passado, o presente e o futuro	conhecimento de línguas, o passado, o presente e o futuro	sufixo nominal **-ante**	revisão da expressão do passado (o p.p.s. e o pretérito imperfeito do indicativo)

A. Faça as palavras cruzadas.

Horizontal:

1. Os pais, os sogros, os primos, etc.
4. É necessário para entrar em alguns países.
5. Cristiano Ronaldo é falante ..... de português.
7. Um restaurante típico e popular.
8. Marido ou mulher.
10. Entre passado e futuro.
12. Uma pessoa que ajuda.
13. Natural dos Açores.

Vertical:

2. Isabel de Inglaterra ou Sofia de Espanha.
3. A pronúncia típica de uma região ou de uma pessoa.
6. Uma pessoa que viaja.
9. 50 por cento.
11. Temo-los quando dormimos.

B. Complete as frases com os verbos da caixa.

> continuar   queixar-se   abusar   correr
> faltar   ~~compreender~~   aguentar   fazer

1. Não consigo *compreender* o que ele está a dizer.
2. Acho que o Rui está a _____ do álcool.
3. A dor que sinto é difícil de _____.
4. Tu vais sempre _____ parte da minha vida.
5. A Ana não pode _____ sem emprego.
6. Como está a _____ o teu fim de semana?
7. Ela está sempre a _____ de que não tem dinheiro.
8. O Nuno não pode _____ às aulas.

C. Complete com as preposições/contrações em falta.

1. A Ana deixou *de* comer carne.
2. Vocês estão _____ espera _____ quê?
3. Temos tanto _____ comum!
4. Não se importa _____ esperar no corredor?
5. Não te queixes _____ trabalho que tens!
6. Quando é que regressas _____ Portugal?
7. Peçam a conta _____ empregada!
8. Vocês têm planos _____ o fim de semana?
9. A Ana tem muito orgulho _____ filho.

D. Responda às perguntas sobre si usando o verbo sublinhado na forma correta.

1. Em que cidade é que você <u>nasceu</u>?

   _____

2. Já alguma vez <u>fez</u> uma viagem de barco? Onde?

   _____

3. A que horas <u>saiu</u> de casa hoje?

   _____

4. Como é que <u>veio</u> para a escola hoje?

   _____

5. Quando foi a última vez que <u>deu</u> uma prenda a alguém? A quem?

   _____

E. Escreva as letras que faltam nas formas verbais do P.P.S. e do Imperfeito.

1. A vizinha cont*ou*-me tudo o que aconteceu.
2. A Ana tent____ mudar de emprego, mas não consegu____.
3. Eu fal____ com a Ana ontem, mas não perceb____ nada do que ela di____.
4. Quando viv____ com os pais, a Rita nunca cozinha____.
5. Nuno, você compr____ o livro que eu lhe ped____?
6. O Rui telefon____ para os pais porque eles precisa____ de falar com ele.
7. Eu não sab____ onde vocês est____.
8. Eu ainda não receb____ o postal que você me env____.

F. As formas verbais sublinhadas nas frases abaixo estão corretas ou erradas? Reescreva as frases erradas sem erros.

1. Quando foi pequeno, o João quis ser polícia.
   Quando era pequeno, o João queria ser polícia.
2. Ainda não lia o último romance de Afonso Cruz.
   _____
3. Quando vivia na Rússia, nunca comia marisco.
   _____
4. Ontem, tivemos um pequeno problema com o carro.
   _____
5. Quando entrei em casa, via que já foi meia-noite.
   _____
6. O gato acordou quando o Rui ligava o rádio.
   _____
7. Ontem, quis visitar-te, mas adormeci.
   _____
8. Na semana passada, havia muito vento.
   _____
9. Quando chegámos ao restaurante, já não tinham sardinhas.
   _____
10. A Mariana acabava de ter uma discussão com os vizinhos.
    _____
11. Gostei do empregado porque era muito simpático.
    _____
12. A viagem não corria bem porque o voo era cancelado.
    _____

G. Escreva as palavras/expressões abaixo na coluna da esquerda.

duração da estadia

data de emissão

objetivo da viagem

endereço eletrónico

válido até   sexo

acompanhado por

número de entradas

local de nascimento

número do passaporte

nome completo

PEDIDO DE VISTO	
1.	Omer Abdulganioglu
2.	masculino
3.	Istambul
4.	U 01783928
5.	15 de outubro de 2014
6.	15 de outubro de 2024
7.	omerabdul@yahoo.com
8.	turismo
9.	1
10.	14 dias
11.	cônjuge

SOU AMIGO DO MEU AMIGO

COMUNICAÇÃO

caracterizar pessoas, falar sobre amizades, definir palavras

VOCABULÁRIO

amizade, contactos entre pessoas

PRONÚNCIA

vogais orais, vogais nasais, sibilantes

GRAMÁTICA

verbos com irregularidades, pronomes relativos invariáveis, **mesmo**, **um (...) o outro**

A. Complete as frases com os verbos da caixa na forma correta.

| apoiar   dar-se   confiar   separar-se |
| tomar   ~~partilhar~~   manter   contar |

1. A Ana e a Rita *partilham* a casa.
2. Não se pode _____ em vocês!
3. Espero poder _____ contigo amanhã!
4. Tu não _____ nada bem com a Ana, pois não?
5. Quem quer ir _____ um copo comigo?
6. Os meus pais _____-me em tudo!
7. O Carlos quer _____ da mulher.
8. Temos de _____ o contacto!

B. Faça a correspondência entre as colunas.

1. arranjar — a. segredo
2. entrar — b. inveja
3. estar — c. discussões
4. falar — d. uma decisão
5. fazer — e. em baixo
6. guardar — f. a sério
7. tomar — g. em contacto

C. Complete as frases abaixo com as expressões do exercício anterior.

1. A Ana gosta de *arranjar discussões* por tudo e por nada.
2. O Paulo tem um carro de _____ a toda a gente!
3. Vamos _____ consigo em breve.
4. O Marco _____ porque não consegue arranjar namorada.
5. O Rui disse que falava mandarim, mas acho que ele não estava a _____.
6. A Aline acabou de _____: não casar com o Rodrigo.
7. Não digas nada ao Fábio porque ele não sabe _____!

D. Complete as frases com a palavra em falta.

1. Gosto de toda a fruta, com *exceção* da banana.
2. Não compreendo o _____ de humor do Marco.
3. O Tiago é uma ótima pessoa, mas tem um grande _____: é muito preguiçoso.
4. A Ana está muito gorda, mas é por estar _____ de seis meses.
5. Vou ter todo o _____ em receber-vos cá em casa!

E. Complete as frases com informação sobre si.

1. Um dos meus defeitos é _____ _____.
2. O que me dá mais prazer é _____ _____.
3. A pessoa em quem confio mais é _____ _____.
4. Espero nunca perder o contacto com _____ _____.
5. A decisão mais importante que tomei na minha vida foi _____.
6. Tenho muito orgulho _____ _____.

F. Escreva o pronome ou a forma do verbo *mentir*.

1. *ele* mente
2. vocês _____
3. nós _____
4. _____ mentes
5. eu _____
6. elas _____
7. ela _____
8. o Nuno _____

G. Escreva o pronome ou a forma do verbo *odiar*.

1. *ele* odeia
2. vocês _____
3. nós _____
4. _____ odeias
5. eu _____
6. elas _____
7. ela _____
8. a Rita _____

H. Reescreva as frases abaixo colocando *mesmo* no lugar correto.

1. Vocês ficam neste hotel?

   Vocês ficam mesmo neste hotel?

2. O Rui gostou do filme de ontem.

   _____

3. Eu fiz este bolo!

   _____

4. A Ana mora ao lado da escola?

   _____

5. É necessário pagar esta conta?

   _____

6. Sinto-me mal!

   _____

I. Faça a correspondência entre o início e o fim das frases. Escreva as letras nos quadrados.

1. Esta é a loja... ☐
2. Fomos a um café... ☐
3. Já devolvi o livro... ☐
4. Não conheço a rapariga... ☐
5. O meu pai é uma pessoa... ☐
6. Omã é um país... ☐
7. O João é o único homem... ☐

a. ... a quem deste um beijo.
b. ... que tem ótimos bolos.
c. ... que gosta de futebol.
d. ... onde chove muito pouco.
e. ... com quem quero casar.
f. ... que pedi emprestado.
g. ... onde comprei os meus sapatos.

J. Faça a correspondência entre as colunas.

1. decidir   a. pedido
2. discutir   b. ódio
3. mentir   c. decisão
4. odiar   d. crítica
5. apoiar   e. emigração
6. criticar   f. discussão
7. pedir   g. mentira
8. emigrar   h. apoio

K. Faça frases com as palavras dadas.

1. chama / senhor / com / como / falei / se / o / quem

   Como se chama o senhor com quem falei?

2. é / nos / a / esta / casámos / onde / igreja

   _____

3. está / que / carro / meu / rua / o / é / na

   _____

4. abriu / o / vamos / semana / bar / onde / uma / há

   _____

5. de / amigo / chega / te / o / quem / amanhã / falei

   _____

6. comer / aquela / que / mesmo / queria / senhora / o

   _____

L. Complete as frases com o verbo na forma correta e *um (...) o outro*.

1. Eles não conseguem *viver um sem o outro*. *(viver)*

2. Quando os nossos carros pararam no semáforo, _____.
   (olhar)

3. Não tenho a certeza se os nossos cães vão _____.
   (gostar)

4. Este ano, decidimos não _____ no Natal. *(dar prendas)*

5. A Ana e a Raquel não _____ há anos. *(falar)*

6. A Rita e o Nuno perceberam que _____. *(estar apaixonado)*

M. Descreva o seu melhor amigo.

_____
_____
_____
_____
_____
_____
_____
_____
_____
_____
_____
_____
_____
_____
_____
_____
_____

GOSTAVA DE TER UMA VIDA NOVA!

COMUNICAÇÃO	VOCABULÁRIO	FORMAÇÃO DE PALAVRAS	GRAMÁTICA
falar sobre problemas pessoais e profissionais, fazer pedidos, expressar desejos	problemas do dia a dia, estilos de vida	sufixo nominal **-idade**	expressão de cortesia e de condição com o pretérito imperfeito do indicativo

A. Complete as frases com as palavras da caixa.

> ~~uma aventura~~ / o apoio / os arredores
> coragem / um mistério / a relação
> a mudança / a razão

1. O Rui vai atravessar toda a África de bicicleta. Esta viagem, de certeza, vai ser uma aventura.
2. O Miguel quer mudar-se para _____ do Porto.
3. Posso sempre contar com _____ dos meus amigos.
4. Tenho de ganhar _____ e dizer ao meu chefe o que penso!
5. O novo trabalho da Cristina é _____. Ninguém sabe o que ela faz.
6. O Ricardo vai fazer _____ na semana que vem.
7. Acho que a Júlia tem toda _____ em querer continuar a estudar.
8. _____ da Andreia com o pai é muito difícil.

B. Faça a correspondência entre o início e o fim das frases. Escreva as letras nos quadrados.

1. A Rute arranjou... ☐
2. Alguém tem de dar... ☐
3. Preciso de melhorar... ☐
4. A Ana surpreendeu-me... ☐
5. O tempo piorou... ☐
6. Acho que o vosso plano... ☐

a. ... o primeiro passo.
b. ... não vai resultar.
c. ... um novo namorado.
d. ... com a chegada da chuva.
e. ... com a prenda que me deu.
f. ... a minha pronúncia em português.

C. Complete com a palavra em falta.

1. A Ana está sempre com pressa.
2. A Cláudia está farta _____ viver na cidade.
3. O João está _____ caminho para casa.
4. A Ana vai despedir-se _____ emprego.
5. Quero aprender _____ falar italiano!
6. Não quero nem uma coisa _____ outra!
7. A Vanda acabou _____ o namorado.
8. O que é que deseja _____ sobremesa?
9. Candidatei-me _____ lugar de diretor.
10. A Marta candidatou-se _____ ensinar inglês.
11. Não te vais arrepender _____ comprar esta casa.
12. Nesta cidade, sinto-me _____ casa.
13. Tenho medo _____ chumbar no exame.
14. O Marco precisa de mudar _____ emprego.
15. A Nádia dá aulas _____ adultos.
16. O Sr. Santos faltou _____ reunião com o diretor.

D. Faça frases com as palavras dadas.

1. Sara / curso / guia / quer / a / turismo / fazer / / um / ser / para / de
   A Sara quer fazer um curso para ser guia de turismo.
2. não / fazer / tempo / nada / eu / sem / aguento / / muito

   _____

3. certeza / conseguir / tenho / que / emprego / vais / / este / a / de

   _____

4. passou / casa / metade / Jorge / ontem / o / dia / / em / de / do

   _____

5. de / perder / avião / queria / o / Sofia / de / a / / andar / medo

   _____

E. Reescreva as frases substituindo o Presente do Indicativo pelo Imperfeito do Indicativo.

1. Quero um chá preto.

   Queria um chá preto.

2. Apetece-me mudar de emprego.

   _____

3. Podes ir fazer compras?

   _____

4. Esperas por mim em frente da loja?

   _____

5. Compras-me um jornal?

   _____

6. Preciso de mais dinheiro.

   _____

7. Trazes-me uma almofada?

   _____

8. Levas a Ana para casa?

   _____

9. Vocês devem comer mais legumes.

   _____

10. Não se importa de falar mais baixo?

    _____

11. Acordas-me antes das 8 horas?

    _____

12. Emprestas-me 10 euros?

    _____

F. Escreva um texto sobre uma mudança importante que ocorreu na sua vida ou sobre uma mudança que gostava de fazer.

_____

_____

_____

_____

_____

_____

_____

_____

_____

_____

_____

G. Leia o texto sobre a mudança do Pedro para Évora. A seguir, leia as frases abaixo. São verdadeiras (V) ou falsas (F)? Assinale.

Mudei-me há três meses para Évora por causa do meu trabalho. Não o queria fazer, mas tinha de ser para não ficar sem trabalho. No princípio, pensava que ia ser muito difícil porque estava a deixar uma cidade grande e ia para uma cidade pequena. Além disso, o clima e a vida em geral podiam ser muito diferentes. Pensava que não ia ser fácil arranjar uma casa no centro da cidade, como eu queria. São, geralmente, caras e muito antigas. Mas tive a sorte de ter um amigo que sabia de uma casa com uma ótima localização e um bom preço. No trabalho, também não foi muito complicado. As pessoas são muito simpáticas e pacientes. Têm muita disponibilidade e gostam muito de conversar. Ao entrar no quarto mês de vida nesta cidade, só posso queixar-me de uma coisa: o calor. Mudei-me para cá no início do verão e é, de facto, muito difícil trabalhar com temperaturas que chegam aos 40 graus. Andar na rua durante o dia é, às vezes, impossível. Agora, com o outono à porta, o tempo vai ficar mais fresco e vou começar a fazer passeios a pé e de bicicleta pelo campo. Outra coisa que vou fazer é começar a conhecer melhor a gastronomia alentejana. Já provei alguns pratos e doces e fiquei verdadeiramente fã! Esta parte de Portugal tem tanto para oferecer que é impossível não gostar dela. Recomendo-a a todos.

1. O Pedro sempre quis viver em Évora. ☐V ☐F

2. O Pedro esperava muitos problemas depois da mudança para Évora. ☐V ☐F

3. Tudo em Évora é agradável com exceção do clima. ☐V ☐F

4. Os planos do Pedro para o outono não têm nada de novo. ☐V ☐F

5. O Pedro adora a comida do Alentejo. ☐V ☐F

6. O Pedro acha que é fácil gostar do Alentejo. ☐V ☐F

NO AEROPORTO

A. Faça a correspondência entre as colunas.

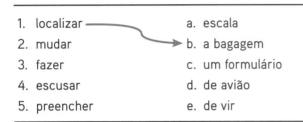

1. localizar
2. mudar
3. fazer
4. escusar
5. preencher

a. escala
b. a bagagem
c. um formulário
d. de avião
e. de vir

B. Complete as frases com os verbos da caixa.

chegar ~~dar~~ demorar entregar residir

1. Não se importa de me *dar* mais informação sobre a sua bagagem?
2. Vamos _____ a bagagem na sua morada.
3. A sua bagagem vai _____ amanhã à tarde.
4. A senhora está a _____ em Lisboa?
5. Infelizmente, a entrega da bagagem está a _____.

C. Reescreva as frases corrigindo os erros.

1. Acabei chegar de São Paulo.
   Acabei de chegar de São Paulo.
2. Dê-me seu cartão de embarque!
   _____
3. Lamento, mas não posso ajudar-lhe.
   _____
4. A sua mala vai chegar num voo seguinte.
   _____
5. Preferia não mudar dos planos.
   _____
6. Vai ter de pagar ao excesso de bagagem.
   _____
7. O senhor vai fazer a escala em Lisboa?
   _____

VOCABULÁRIO QUE DEVE SABER USAR:

UNIDADE 1

aguentar
comparar
escovar
fazer a barba
pentear
sofrer (de)
sublinhar

o animal de estimação
a ave
a calma
o continente
a cortina
a coruja
a cotovia
a energia
a frase
o humor
o instrumento musical
a madrugada
a noitada
o sono

bem-disposto
completo
natal
verdadeiro

facilmente

a horas
além de
antes da hora
em breve

UNIDADE 2

abusar
compreender
emigrar
estar à espera (de)
faltar (a)
fazer parte (de)
queixar-se (de)
sentir-se em casa

o açoriano
o/a ajudante
o cônjuge
a emissão
o/a emigrante
o endereço
o estudo
o/a falante
o/a familiar
o futuro
o jogador
a metade
o objetivo
o orgulho
a origem
o passado
o pedido
o presente
a rainha
a residência
o sonho
a sorte
o sotaque
a tasca
o/a viajante
o/a visitante
a vinda
o visto

duro
feminino
maravilhoso
masculino
nativo
profissional
válido

exatamente
fluentemente
suficientemente

em comum

UNIDADE 3

aceitar
apoiar
confiar (em)
contar (com)
dar-se (com)
estar a/no caminho
estar grávida (de)
manter
mentir
odiar
partilhar
separar-se (de)
tomar um copo

a açorda
a amizade
o apoio
o contacto
a crítica
a decisão
o defeito
a discussão
a esposa
o interesse
a inveja
o objeto
o prazer
o segredo
o sentido de humor

parecido
sincero

através
com exceção de

UNIDADE 4

arrepender-se (de)
candidatar-se (a/para)
dar aulas
despedir-se (do emprego)
melhorar
piorar
resultar
significar
surpreender
vencer

os arredores
a aventura
a coragem
a dificuldade
o diretor
a estabilidade
a felicidade
o mistério
a mudança
a necessidade
a novidade
o passo
a possibilidade
a razão
a relação
a responsabilidade
a sinceridade
o stresse

belo
comum
estável
farto
monótono
necessário
responsável

necessariamente
praticamente

PORTUGUÊS EM AÇÃO 1

descrever
entregar
escusar (de)
fazer escala
lamentar
localizar

residir
o excesso
o máximo
o peso
o sistema

ESCRITA 1

o erro
o hábito
a literatura
contemporâneo
pontual

COMUNICAÇÃO	VOCABULÁRIO	PRONÚNCIA	GRAMÁTICA
falar sobre família e problemas familiares	família, tarefas domésticas	vogais nasais, sons [r] e [R]	**demais/demasiado**, infinitivo impessoal

A. Escreva a forma masculina ou a feminina.

1. *o vizinho* — a vizinha
2. o sobrinho — _____
3. _____ — a nora
4. o sogro — _____
5. _____ — a bisavó
6. o menino — _____
7. _____ — a colega
8. o miúdo — _____

B. Complete as definições com as palavras da caixa.

> ~~o armário~~ / as gavetas / os roupeiros
> o micro-ondas / o congelador

1. O *armário* serve para guardar casacos.
2. _____ serve para aquecer ou descongelar comida e para cozinhar.
3. _____ serve para manter os alimentos em temperaturas inferiores a zero graus.
4. _____ servem para guardar roupa.
5. _____ servem para guardar roupa interior ou material de escritório.

C. Complete as frases com as preposições/ /contrações em falta.

1. Normalmente, vou ao ginásio à tarde.
2. _____ partir _____ amanhã, deixo de beber leite.
3. Além _____ francês, a Paula fala também alemão.
4. Ana, não queres trocar _____ lugar comigo? Eu não gosto de ficar à janela.
5. O Rui pegou _____ coisas dele e saiu do quarto.
6. Quanto é que pagaste _____ voo?
7. Porque é que tu gritas sempre _____ a Rita?
8. Tenho pena _____ João. Ele trabalha tanto!
9. Não é nada fácil lidar _____ este problema.

D. Complete as frases com as palavras da caixa.

> carácter   regra   vergonha   ~~menina~~
> meia   programa   membro

1. A Sofia é uma *menina* muito bem-educada.
2. Na nossa casa, temos uma _____ de não atender os telemóveis durante as refeições.
3. O Afonso é tímido. Tem _____ de falar com as pessoas.
4. O nosso cão é _____ da família.
5. O Jorge tem um _____ muito difícil.
6. Joãozinho, já viste que calçaste uma _____ preta e outra castanha?
7. Ontem, vi um _____ na televisão muito interessante.

E. Faça frases com as palavras dadas.

1. esqueças / camisas / não / roupeiro / te / de / / pendurar / as / no
   Não te esqueças de pendurar as camisas no roupeiro.
2. trabalho / fazer / não / separação / do / dá / lixo / / nenhum / a

   _____

3. passa / computador / André / ao / demasiado / / em / o / tempo / frente

   _____

4. não / tens / teu / deixar / toda / fumar / filho / a / / em / razão / o

   _____

5. portar / filho / Susana / está / o / mal / a / muito / / da / se

   _____

F. Faça a correspondência entre as colunas.

1. aspirar
2. levantar
3. varrer
4. fazer
5. separar
6. secar

a. a mesa
b. a roupa
c. a cama
d. a carpete
e. o chão
f. o lixo

G. Ponha as expressões por ordem.

engomar a roupa ☐

lavar a roupa ☐

pendurar a roupa no roupeiro ☐

pôr a roupa a secar ☐

pôr a roupa na máquina ☐

tirar a roupa da máquina ☐

H. Complete as frases com as palavras em falta.

1. As crianças precisam de fazer *exercício* físico.
2. Os meus pais são _____ públicos.
3. O marido da Júlia tem muito _____ feitio.
4. O pai da Clara trabalha na _____ civil.
5. A Elsa não gosta de fazer _____ domésticas.
6. O que tu dizes não faz _____ nenhum!
7. Nesta gaveta, guardo as meias e a _____ interior.
8. Ana, traz-me o _____ de engomar! Preciso de passar a roupa!
9. O Pedro quer abrir uma _____ de viagens.

I. Sublinhe a opção correta. Às vezes, as duas opções estão corretas.

1. Eles passam **demasiados/demasiado** tempo ao sol.
2. Estás a conduzir rápido **demasiado/demais**.
3. A Ana trabalha **demasiado/demais**.
4. Esta rua é **demasiado/demais** barulhenta.
5. A Sara tem **demasiadas/demais** coisas para fazer.
6. A Célia bebeu **demasiada/demasiado**.
7. A tua mulher fala **demasiado/demais**.

J. Complete as frases com o verbo na forma do Infinitivo.

1. A Ana anda a *tirar* um curso de Marketing.
2. A Rita e a Cláudia deixaram de se _____.
3. É proibido _____ o telemóvel.
4. Não consigo _____ esta gaveta!
5. O Jorge gostava de _____ a casa em que mora.
6. O Tiago queixa-se de _____ pouco.
7. Importas-te de _____ essa cadeira?
8. Você precisa de _____ algum peso.
9. Não devias _____ tanto ao telemóvel.
10. Amanhã, vou ter de _____ mais cedo.
11. À tarde, vou tentar _____ com a Ana.
12. A que horas podes vir _____ os miúdos?
13. Preferia não _____ tanto dinheiro.
14. É favor não _____ lixo para o chão.

K. Escreva um texto sobre os problemas que existem na sua casa (relacionados com, por exemplo, vizinhos, refeições, tarefas domésticas, horários, animais, etc.).

_____
_____
_____
_____
_____
_____
_____
_____
_____
_____
_____
_____
_____
_____
_____
_____
_____

UNIDADE 6
DOU-ME BEM COM A TECNOLOGIA

COMUNICAÇÃO
resolver problemas e falar sobre máquinas (computadores, telemóveis, impressoras, etc.)

VOCABULÁRIO
internet e máquinas (computadores, telemóveis, impressoras, etc.)

FORMAÇÃO DE PALAVRAS
sufixo nominal **-ador**

GRAMÁTICA
infinitivo pessoal (com **ser** + adjetivo e com preposições)

A. Faça as palavras cruzadas.

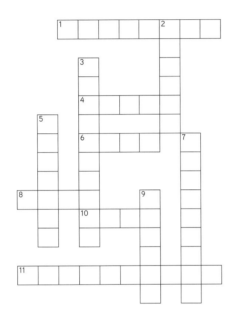

Horizontal:

1. O computador que se pode pôr na pasta.
4. Onde guarda os seus ficheiros.
6. Olha para ele quando está a trabalhar com o computador.
8. Liga o computador à eletricidade.
10. Animal ou pequeno aparelho ligado ao computador.
11. Por exemplo, um portátil.

Vertical:

2. Carrega nelas quando escreve no computador.
3. Para imprimir documentos.
5. Tem muitas teclas.
7. Estão dentro da pasta.
9. Estão dentro da impressora.

B. Que máquinas/aparelhos são estes? Escreva.

1. Serve para manter os alimentos frescos:
   frigorífico
2. Serve para secar o cabelo:
   _____
3. Serve para tirar fotografias:
   _____
4. Serve para aspirar os tapetes:
   _____
5. Serve para fazer a barba:
   _____

C. Complete com a preposição/contração em falta.

1. Estou cansado *de* ter tanto para fazer!
2. Vou enviar o ficheiro _____ anexo.
3. O seu computador está ligado _____ rede?
4. Acho que vou desistir _____ ir ao ginásio.
5. Podes pôr o telemóvel _____ carregar?
6. Carrega _____ tecla *Enter*!
7. Gosto de fotografias _____ preto e branco.
8. Preferia imprimir isto _____ cores.
9. A Ana está viciada _____ doces.

D. Complete com os verbos da caixa na forma correta.

| aquecer | aumentar | chatear |
| descarregar | ~~ligar~~ | desistir |

1. Porque é que vocês ainda não *ligaram* o computador?
2. Pedro! Não me _____ com mais perguntas!
3. Os preços das casas _____ no ano passado.
4. Este programa demora a _____.
5. Ana, a água já _____?
6. Acho que vou _____ desta ideia.

E. Complete com as palavras da caixa.

conta	adolescente	fotocópia	~~moda~~	modelo
verso	papel	rede	telefone	maioria

1. A Ana gosta de seguir a *moda*.
2. O *Facebook* é uma _____ social.
3. Na nossa casa, acabámos com o _____ fixo porque todos têm telemóveis.
4. Tira uma _____ da carta de condução, se faz favor.
5. O João comprou o último _____ da BMW.
6. Esta impressora está sem _____.
7. A _____ das pessoas gosta de sobremesas.
8. A Sara tem 15 anos. É uma _____.
9. Faça as cópias frente e _____, se faz favor.
10. Tens _____ no *Twitter*?

F. Faça frases escrevendo todas as palavras na forma correta e acrescentando os artigos e as preposições necessárias. O verbo sublinhado deve estar no Infinitivo Pessoal. Não mude a ordem das palavras.

1. passageiros / não / poder / levantar-se / motores / / avião / <u>parar</u>
   Os passageiros não podem levantar-se até os motores do avião pararem.
2. ontem / (eu) pedir / tu / <u>arrumar</u> / secretária
   _____
3. hoje / João / não / poder / trabalhar / <u>estar</u> / / gripe
   _____
4. (tu) precisar / fazer / exercício / <u>sentir-se</u> / bem
   _____
5. amanhã / (eu) querer / almoçar / contigo / (nós) <u>poder</u> / falar / negócios
   _____
6. dois / aluno / querer / mudar / turma / não / / <u>gostar</u> / professora
   _____
7. (nós) desistir / compra / casa / não / <u>ter</u> / / dinheiro
   _____
8. (tu) partir / Espanha / <u>dizer</u> / nada / ninguém
   _____

G. Complete as frases usando o verbo sublinhado na forma correta do Infinitivo Pessoal.

1. Tens de <u>pagar</u> esta conta até amanhã.
   Esta conta é para *pagares* até amanhã.
2. Vocês deviam <u>estar</u> aqui connosco!
   É pena _____!
3. Não deves <u>conduzir</u> tão rápido!
   É perigoso _____!
4. Não <u>caias</u>!
   Tem cuidado para _____!
5. Gostávamos de <u>viver</u> perto da praia.
   Era bom _____.
6. Não podes não <u>gostar</u> deste filme!
   Não é possível _____!
7. <u>Terminem</u> o trabalho. Eu espero por vocês.
   Espero por vocês até _____.
8. Já não <u>falas</u> comigo há um ano!
   Passou um ano sem _____!
9. Não preciso de <u>pedir</u> dinheiro ao João.
   Não é necessário eu _____.
10. Abre a porta. Assim, a casa <u>fica</u> mais fresca.
    Abre a porta para _____.
11. <u>Façam</u> as compras com o dinheiro que vos dei.
    Dei-vos dinheiro para _____.
12. O portátil avariou porque <u>tem</u> um vírus.
    O portátil avariou por _____.
13. Acordei-te porque não te podes <u>atrasar</u>.
    Acordei-te para _____.
14. O teu cão não pode <u>ir</u> para cima da cama!
    O teu cão está proibido de _____!
15. Vocês podem <u>ir</u> comigo ao dentista?
    Queria pedir-vos para _____.
16. Cuidado! Não te <u>apoies</u> na porta!
    É melhor não te _____!
17. Já é tarde! Não te queres <u>levantar</u>?
    Já é tarde! Que tal te _____?
18. Não como a sobremesa porque <u>estou</u> de dieta.
    Não como a sobremesa por _____.
19. Vocês têm de <u>acabar</u> este relatório hoje!
    Vocês não vão para casa sem _____!

TRABALHO POR CONTA PRÓPRIA

COMUNICAÇÃO	VOCABULÁRIO	PRONÚNCIA	GRAMÁTICA
falar sobre as rotinas profissionais	profissões, mundo laboral	acento	**próprio**, infinitivo pessoal (com locuções prepositivas), infinitivo pessoal vs. infinitivo impessoal

A. Que profissões são estas? Escreva os nomes nos espaços.

1. Contabilista
É uma profissão boa para pessoas organizadas e calmas, que gostam de números e de fazer contas. Nesta profissão, é preciso passar muito tempo em frente ao computador.

4. _____
Trabalha num local muito quente e, às vezes, barulhento. Tem de saber organizar bem o trabalho e ser rápido porque há sempre pessoas à espera que vão dizer logo se gostam ou não do resultado do seu trabalho.

2. _____
Muitas pessoas, sobretudo crianças, têm medo dos profissionais que trabalham nesta área. O contacto com eles pode ser doloroso, mas é para o nosso bem. Trabalham num consultório.

5. _____
Muito frequentemente, os profissionais desta área trabalham com crianças. Têm de ser bons a explicar coisas a pessoas que, às vezes, têm problemas em perceber o que dizem. Por isso, têm de ser muito pacientes e calmos.

3. _____
As pessoas que têm esta profissão andam sempre de farda. Passam muito tempo na rua a organizar o trânsito ou a ajudar as pessoas. Em Portugal, andam em carros pintados de branco e azul. Às vezes, pode ser uma profissão perigosa.

6. _____
É uma profissão para pessoas que gostam de andar. Ao longo do seu dia de trabalho, estes profissionais vão a muitas casas. Já foram mais importantes, mas, sem eles, o nosso contacto com o mundo seria mais difícil.

B. Faça a correspondência entre as colunas.

1. horário	a. de bordo
2. turno	b. extra
3. horas	c. nacional
4. estágio	d. de negócios
5. assistente	e. fixo
6. feriado	f. da compra
7. jantar	g. profissional
8. recibo	h. da noite

C. Complete com a preposição/contração em falta.

1. Jantamos sempre *à* mesma hora.
2. A Helena trabalha _____ conta própria.
3. Queria trabalhar _____ tempo inteiro.
4. Eu vou tratar _____ almoço, está bem?
5. O Rui trabalha _____ partir de casa.
6. Estamos sentados _____ mesa.
7. O Dr. Santos atende _____ parte da manhã.
8. Não é fácil trabalhar _____ turnos.
9. Estamos _____ volta _____ trabalho!

D. Complete as frases com os verbos da caixa.

traduzir / ~~assinar~~ / passar / fazer (2x) assistir / levar / atender

1. Quando é que vais assinar o contrato?
2. Ana, pode _____ aquela senhora?
3. No meu trabalho, posso _____ contactos com pessoas de vários países.
4. A Rita evita _____ trabalho para casa.
5. No mês que vem, queria _____ a uma conferência.
6. O senhor pode _____-me um recibo?
7. Temos de _____ uma reunião.
8. Preciso de _____ esta carta para alemão.

E. Junte ou reformule as frases usando *antes de, depois de, em vez de, além de, apesar de, no caso de.*

1. Primeiro, vou encontrar-me com a Diana. Depois, vou às compras.
   Antes de ir às compras, vou encontrar-me com a Diana.
2. Estas calças são um bocado largas, mas gosto delas na mesma.
   _____
   _____
3. Os filhos da Ana deviam arrumar o quarto, mas preferem ver televisão.
   _____
   _____
4. Primeiro, a D. Joaquina lava a loiça. A seguir, engoma as camisas.
   _____
   _____
5. O André estava doente, mas conseguiu ganhar o jogo de ténis.
   _____
   _____
6. O carro do Nuno é bom e não gasta muita gasolina.
   _____
   _____
7. A Júlia e o Rui podem chegar atrasados. Nesse caso, vamos sem eles.
   _____
   _____
8. A professora do Diogo é simpática e sabe explicar bem a matéria.
   _____
   _____

F. Faça frases com as palavras dadas.

1. neste / correspondência / trata / a / Cristina / / toda / a / de / escritório
   Neste escritório, a Cristina trata de toda a correspondência.
2. disseste / pessoa / tu / preguiçosa / que / uma / / próprio / és
   _____!
3. urgente / para / tenho / Diogo / um / o / assunto / / com / falar
   _____.
4. salários / empresa / quatro / aumentam / / nesta / anos / os / não / há
   _____.
5. seu / Carlos / queria / negócio / o / próprio / ter / o
   _____.

G. Complete as frases com o verbo na forma correta do Infinitivo Impessoal ou Pessoal. Às vezes, as duas opções estão corretas.

1. A Olga emagreceu muito depois de mudar de dieta. *(mudar)*
2. Levo a chave para poder entrar em casa, no caso de _____ à noite. *(tu/sair)*
3. É tão bom vocês, finalmente, _____ visitar--nos! *(poder)*
4. É verdade que não aceitaste uma proposta de trabalho por não _____ falar alemão? *(saber)*
5. Vocês estão sempre a _____ por tudo e por nada. *(queixar-se)*
6. É pena a Ana e o Nuno _____ de desistir da compra da casa. *(ter)*
7. É proibido _____ com o motorista! *(falar)*
8. É estranho a Sara e a Matilde não _____ nada desde ontem. Aconteceu alguma coisa? *(dizer)*
9. André, porque é que saíste de casa sem _____ da tia Ágata? *(despedir-se)*
10. Queríamos ver este filme por _____ fãs da atriz que faz o papel principal. *(ser)*
11. Não te importas de _____ uma mesa no restaurante? *(reservar)*
12. Não deves beber café sem _____ o pequeno--almoço primeiro. *(tu/tomar)*
13. Os pais da Ana foram ao banco para _____ uma conta. *(abrir)*
14. Vamos passar por um supermercado para _____ compras. *(fazer)*
15. É possível _____ uma língua nova aos 60 anos. *(aprender)*

8

COMUNICAÇÃO	VOCABULÁRIO	FORMAÇÃO DE PALAVRAS	GRAMÁTICA
interagir num escritório, falar sobre a escola/ /universidade	material de escritório, disciplinas escolares, vida universitária, avisos públicos	sufixo nominal **-ão**	p.p.s. vs. imperfeito (revisão), **haver de** + infinitivo, particípio passado

A. Faça as palavras cruzadas.

Horizontal:

1. O estudo do passado.
5. O estudo das plantas e dos animais.
6. Entre um selo e um envelope.
9. Para guardar documentos.
10. O estudo dos mapas.

Vertical:

2. Para cortar papel.
3. Para não se esquecer das reuniões e números de telefone.
4. Matemática, Física, História, etc.
5. Para apagar o lápis.
7. Para juntar folhas.
8. Uma das ciências.

B. Escreva as formas do Particípio Passado.

1. traduzir   *traduzido*
2. pôr   _____
3. tratar   _____
4. gastar   _____
5. chatear   _____
6. sofrer   _____
7. escrever   _____
8. abusar   _____
9. descobrir   _____
10. odiar   _____
11. despir   _____
12. vir   _____

C. Reformule as frases substituindo *ir* + Infinitivo por *haver de* + Infinitivo.

1. A Ana vai aprender a andar a cavalo.
   A Ana há de aprender a andar a cavalo.
2. Vais arrepender-te do que fizeste.
   _____
3. Vamos fazer uma viagem à Nova Zelândia.
   _____
4. Um dia vou ser mãe.
   _____
5. Vais compreender as minhas ações.
   _____
6. Eles vão viver noutro país.
   _____
7. Vamos convidar-te para veres a nossa casa.
   _____
8. Um dia vais saber o que queres fazer na vida.
   _____
9. Vais conhecer a minha família.
   _____

D. Faça a correspondência entre as colunas.

1. fazer	a. num curso
2. tirar	b. a língua
3. inscrever-se	c. à vontade
4. frequentar	d. a pena
5. praticar	e. investigação
6. valer	f. a escola
7. estar	g. a tese
8. escrever	h. apontamentos

E. Complete as frases com as palavras da caixa.

a nota / nota / o teste / o tema / uma revisão

1. Já sabes qual é *o tema* da tua tese de mestrado?
2. _____ de Química foi muito difícil.
3. Estou satisfeito com _____ que tive no exame.
4. Antes do teste, fizemos _____ geral.
5. Toma _____ do meu número de telefone.

F. Complete com as preposições/contrações em falta.

1. Não chegues atrasado como *da* última vez!
2. A minha casa fica _____ pé da igreja.
3. Parem _____ falar, por favor!
4. O João chegou tarde _____ aula, e ainda _____ cima, não fez o trabalho _____ casa!
5. Não me sinto _____ vontade aqui. Vamos embora!

G. Sublinhe a forma verbal correta.

A: Ana! És mesmo tu! Há tanto tempo!

B: Cláudia! Que bom ver-te! Já não nos **vemos/víamos**[1] há uns cinco anos! Olha para ti! Não **mudaste/mudavas**[2] nada!

A: Obrigada! Tu continuas bonita como sempre. Já não **moraste/moras**[3] em Lisboa, pois não?

B: Não. **Mudo-me/Mudei-me**[4] para os Açores há seis anos.

A: E a tua irmã? Também já não a **vi/vejo**[5] há muito tempo.

B: Ela está bem e **continuou/continua**[6] por cá.

H. Leia o texto sobre a experiência Erasmus de uma estudante portuguesa. Escreva os verbos na forma correta do P.P.S. ou do Imperfeito do Indicativo.

Sempre *gostei*[1] *(eu/gostar)* de viajar, por isso, _____[2] *(eu/ficar)* muito feliz quando _____[3] *(eu/saber)* que ia passar um ano a estudar na maior universidade da capital da Suécia. Agora, que essa experiência já _____[4] *(acabar)*, posso dizer que o tempo que _____[5] *(eu/passar)* em Estocolmo _____[6] *(ser)* o melhor da minha vida. _____[7] *(eu/aprender)* muito, e não estou a falar apenas da minha área de estudo, que é a Psicologia, mas também sobre a amizade, o amor e sobre mim própria. Tenho que dizer que, no início, _____[8] *(eu/achar)* Estocolmo pouco convidativa. Mas, com o tempo, _____[9] *(eu/começar)* a sentir-me em casa. Ao longo da minha estadia lá, _____[10] *(eu/descobrir)* todos os segredos de Estocolmo. A parte social da minha experiência Erasmus _____[11] *(ser)* muito importante. _____[12] *(eu/fazer)* muitos amigos. _____[13] *(nós/passar)* todo o tempo juntos. Todos os dias _____[14] *(nós/jantar)*, _____[15] *(nós/brincar)* e _____[16] *(nós/divertir-se)* juntos. _____[17] *(nós/ser)* uma grande família de pessoas de todas as partes da Europa. Mantenho essas amizades até hoje e acho que não vão acabar tão cedo. As experiências culturais também _____[18] *(ser)* muito importantes. _____[19] *(ser)* também em Estocolmo que _____[20] *(eu/ter)* o primeiro contacto com a neve!

_____[21] *(haver)*, obviamente, momentos menos bons, momentos em que _____[22] *(eu/ter)* saudades da família ou _____[23] *(eu/sentir-se)* infeliz porque _____[24] *(eu/estar)* longe de tudo o que me _____[25] *(ser)* familiar, mas _____[26] *(eu/ter)* tantas coisas para fazer que esses momentos difíceis nunca _____[27] *(durar)* muito tempo.

Não _____[28] *(ser)* nada fácil dizer adeus a Estocolmo. No regresso a Portugal, não _____[29] *(eu/sentir-se)* a mesma. Acho que uma parte de mim nunca _____[30] *(deixar)* aquela cidade do norte da Europa.

NO SERVIÇO DE ASSISTÊNCIA TÉCNICA

A. Complete as frases abaixo com as palavras da caixa.

| fila | modelo | ~~seguir~~ | compra | garantia |

1. Quem é que está a seguir?
2. A senhora está na _____?
3. Este artigo tem _____, não tem?
4. Tem o recibo da _____?
5. Que _____ é que recomenda?

B. Complete os diálogos abaixo com as frases do exercício A.

1. A: Quem é que está a seguir?
   B: Acho que sou eu.
   A: Em que posso ajudá-la?

2. A: _____?
   B: Os clientes elogiam muito este.
   A: Mas é caro. Preferia algo mais barato.

3. A: _____?
   B: Não, mas só queria fazer uma pergunta rápida.
   A: Está bem, mas veja lá se não demora.

4. A: _____?
   B: Tem, tem. É válida por dois anos.
   A: Ótimo!

5. A: _____?
   B: Não. Não sabia que ia precisar dele.
   A: Tem de trazê-lo. Sem ele, não podemos fazer nada.

C. Leia e ordene as frases do diálogo.

Acontece. Vamos então abri-la e pôr umas pilhas novas. Está a ver? Ligou sem problema nenhum. ☐

Então, que problema é que tem com a máquina? ☐

Só tem que pagar pelas pilhas. São três euros. ☐

Estranho. Já viu se as pilhas estão boas? ☐

Isto funciona a pilhas. Não sabia? ☐

Não consigo ligá-la. Deixou de funcionar ontem. ☐

Pois é. Obrigado! Quanto é que lhe devo? ☐

Pilhas? Que pilhas? ☐

Por acaso, não. Que vergonha! ☐

VOCABULÁRIO QUE DEVE SABER USAR:

UNIDADE 5

engomar
fazer sentido
levantar (a mesa)
lidar (com)
pendurar
portar-se
secar
ter pena (de)
varrer

a atividade
a bisavó/o bisavô
o carácter
o congelador
a construção civil
o exercício físico
o feitio
o funcionário público
a gaveta
o genro
as meias
o membro
o menino
o micro-ondas
a natação
a nora
a pena
a piza
o programa
a regra
a roupa interior
o roupeiro
a separação
o sobrinho
o sogro
a vergonha

bem-educado
demasiado
impossível
inteiro
mal-educado
mimado

demais
a partir de
cada um(a)

UNIDADE 6

aquecer
aumentar
carregar (a bateria)
chatear
descarregar
desistir (de)
instalar

o/a adolescente
o anexo
o aspirador
a bateria
o cabo
a chatice
o ecrã
o ferro de engomar
o ficheiro
a folha
a fotocópia
o fumador
a impressora
a maioria
a máquina de barbear
a máquina fotográfica
a moda
o modelo
o papel
a pasta
o portátil
o rato
a rede social
o relatório
o secador
a tecla
o teclado
a tecnologia
a tinta

desligado
fixo
ligado
viciado

a cores
frente e verso
um(a) de cada

Que chatice!
Paciência!

UNIDADE 7

estar de volta (a)
fazer contas
passar (um recibo)
traduzir
tratar de

a assistente de bordo
o assunto
o cabeleireiro
o carteiro
a clínica
o comissário de bordo
a conferência
o/a contabilista
o contrato
a correspondência
o cozinheiro
a equipa
o estágio
o estúdio
a fatura
o feriado
as horas extra
o/a intérprete
o recibo
a reclamação
a reunião
o salário
a tradução
o tradutor
o turno
o veterinário

próprio
urgente

a tempo inteiro
apesar de
em vez de
na parte da (manhã)
no caso de
por conta própria
por turnos

UNIDADE 8

frequentar
haver de
inscrever-se (em)
parar de/com
permitir
praticar
proibir
tirar apontamentos
tomar notas
valer

a agenda
o agrafador
a biologia
a borracha
a calculadora
a cola
a compreensão
a disciplina
o dossiê
a escolha
a física
a fita
a geografia
a investigação
a matemática
a nota
a permissão
a química
o rei
a revisão
o semestre
a tese
a tesoura
o teste
o texto
o trabalho de/para casa

fantástico
pessoal
social

à vontade
ainda por cima
ao pé de
tanto quanto

Nem por isso!
Para com isso!
Vale a pena!

PORTUGUÊS EM AÇÃO 2

elogiar
estar na fila
informar
reparar
o arranjo
a assistência técnica
a garantia

a oficina
o serviço
carregado
complicado
estranho
Quem está a seguir?

ESCRITA 2

agradecer
desculpar
o filhote
o silêncio
surpreendido

COMUNICAÇÃO	VOCABULÁRIO	PRONÚNCIA	GRAMÁTICA
escrever um CV, dar uma entrevista de trabalho, falar sobre a sua profissão	mundo laboral	acento	pretérito perfeito composto do indicativo

A. Escreva as palavras que faltam.

1. Um veterinário trabalha numa clínica.

2. Um _____ trabalha numa oficina.

3. Um vendedor trabalha numa _____.

4. Um _____ trabalha na cozinha.

5. Um operário trabalha numa _____.

6. Um _____ trabalha num avião.

7. Um motorista trabalha num _____.

B. Complete com a preposição/contração em falta.

1. Tens boa pronúncia em português.

2. Preciso de subir _____ carreira.

3. Rui, agradece _____ tia o presente!

4. A Elsa anda _____ tua procura desde ontem!

5. A Ana terminou o curso _____ média _____ 16 valores.

6. Tenho gosto _____ trabalho _____ equipa.

7. Tenho de trabalhar _____ turnos.

8. Vamos entrar _____ contacto consigo _____ telefone.

9. O namorado da Rita trabalha _____ empregado de mesa.

C. Faça a correspondência entre as colunas.

1. estudo	a. vendedor
2. licenciatura	b. rececionista
3. mestrado	c. desempregado
4. receção	d. bolseiro
5. formação	e. estudante
6. bolsa	f. licenciado
7. vendas	g. formador
8. desemprego	h. mestre

D. Junte as metades das expressões e copie-as para o quadro abaixo para criar um anúncio de emprego.

Boa organização...   ... são bem-vindos

Conhecimentos de espanhol...   ... viajar

Horário...   ... capacidade de comunicação

Boa...   ... na área de Gestão

Bons conhecimentos...   ... de 2.ª a 6.ª feira

Boa...   ... de trabalho

Formação...   ... de inglês

Disponível para...   ... pelo menos 4 anos

Experiência de...   ... apresentação

Assistente Administrativo (m/f)
Perfil

- _____
- _____
- _____
- _____
- _____
- _____
- _____
- _____
- _____

E. Complete as frases com as palavras da caixa.

| publicidade bolseiro vaga |
| semestre perfil ~~horário~~ |

1. O meu *horário* é muito flexível.
2. O seu _____ não corresponde ao que procuramos.
3. O Ricardo é _____ do Instituto Confúcio.
4. Fiz um _____ na Universidade do Algarve.
5. Queria trabalhar na área de _____ .
6. Temos uma _____ no departamento de contabilidade.

F. Reformule as frases usando o Pretérito Perfeito Composto do Indicativo.

1. Comes muito mal.
   Tens comido muito mal.
2. Os preços do setor imobiliário estão a aumentar.
   _____
3. Levantaste muito dinheiro no multibanco.
   _____
4. Você respondeu às cartas da Dra. Júlia?
   _____
5. Há muitos acidentes nesta zona.
   _____
6. Tenho umas dores muito fortes.
   _____
7. O senhor sente a falta da sua família?
   _____
8. Fizeste muitos exercícios de português?
   _____
9. A Joana recebe muitos elogios.
   _____
10. Venho muito a este restaurante.
   _____
11. Penso muito nos tempos que passámos juntos.
   _____
12. Falaste com o João?
   _____
13. Tomámos as decisões certas.
   _____

G. Os tempos linguísticos usados nas frases abaixo estão corretos ou errados? Identifique os que estão errados e reescreva as frases sem erros.

1. Na passada sexta, tenho corrido 10 km.
   Na passada sexta, corri 10 km.
2. Há problemas com os pagamentos desde o mês passado.
   _____
3. Nos últimos dias, não fumo muito.
   _____
4. Ultimamente, não vejo muita televisão.
   _____
5. Não tenho notícias da Ana desde março.
   _____
6. Estive nos Açores há duas semanas.
   _____
7. Ultimamente, o Rui não bebeu muito café.
   _____
8. Até agora, não tenho conseguido ir ver a Joana ao hospital.
   _____
9. A Inês tem partido a perna.
   _____

H. Faça frases com as palavras dadas.

1. de / uma / vendas / pessoa / na / precisamos / / de / área
   Precisamos de uma pessoa na área de vendas.
2. que / não / o / tudo / dinheiro / para / ganhamos / / chega
   _____
3. me / confesso / bastante / área / interessa / / que / esta
   _____
4. para / preciso / contas / de / as / dinheiro / / poder / suficiente / pagar
   _____
5. para / este / qualificações / serve / as / trabalho / / minhas / não
   _____
6. tenho / português / até / não / em / agora / / dificuldades / aprender / tido
   _____

VAMOS PARA A ESTRADA!

COMUNICAÇÃO
falar sobre uma viagem de carro, falar sobre o transporte rodoviário

VOCABULÁRIO
viagem de carro, transporte rodoviário, veículos

FORMAÇÃO DE PALAVRAS
nomes terminados em **-a/-o**

GRAMÁTICA
dar e **ficar** com preposições, diminutivo

A. Faça as palavras cruzadas.

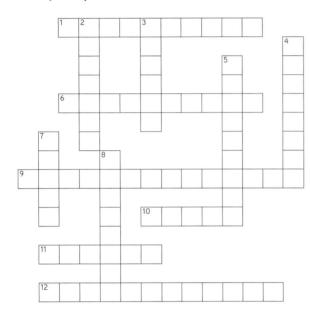

Horizontal:

1. 80 km/h.
6. Onde os peões atravessam a rua.
9. Muitos carros parados.
10. Andam a pé.
11. Um veículo pesado.
12. Em Portugal é preciso pagar para as usar.

Vertical:

2. Para andar de carro.
3. Os condutores não gostam delas.
4. Vermelho, amarelo ou verde.
5. Locais onde se paga a autoestrada.
7. ..... de segurança.
8. Em hora de ponta pode ser lento.

B. Reformule a parte da frase sublinhada usando o verbo dado.

1. O meu quarto <u>tem vista</u> para o jardim. *(dar)*
   O meu quarto dá para o jardim.

2. <u>Dás-me</u> esta camisa? Tu já não a vestes. *(ficar)*
   _____

3. <u>Temos tempo</u> para nos sentarmos aqui por uns minutos? *(dar)*
   _____

4. <u>Não reparei</u> neste erro. *(dar)*
   _____

5. Ontem, <u>encontrei</u> a tua mãe no centro comercial. *(dar)*
   _____

6. Hoje, não posso aceitar o teu convite. <u>Tem de esperar</u> pela próxima vez. *(ficar)*
   _____

C. Complete as frases com os verbos da caixa na forma correta.

incluir   dar   reparar   consultar
aproveitar   reduzir   pronunciar   ~~respeitar~~

1. Os filhos têm de *respeitar* os pais.
2. Este casaco está em saldo. É melhor o senhor _____ a oportunidade e comprá-lo agora.
3. O preço do jantar não _____ as bebidas.
4. Vamos _____ um passeio pelo parque.
5. Ana, você já _____ o dicionário para ver o que significa esta palavra?
6. Não sei como se _____ esta palavra.
7. Acho que vão _____ os nossos salários.
8. Ontem, vi a Joana num café, mas ela não _____ que eu estava lá.

D. Faça a correspondência entre as colunas.

1. companheiro	a. de carro
2. sinal	b. de gasolina
3. limite	c. de ponta
4. previsão	d. de viagem
5. bomba	e. de trânsito
6. acidente	f. de velocidade
7. hora	g. do tempo

E. Complete as frases com a preposição/contração em falta.

1. Você pode continuar a viagem pela autoestrada.
2. O Jorge fez a revisão da matéria no dia anterior _____ exame.
3. Durante a viagem gastámos, _____ total, 530 euros por pessoa.
4. Vamos _____ direção _____ fronteira.
5. Acho que nos enganámos _____ caminho.
6. Ontem, o João chegou _____ conclusão de que não queria continuar com o curso de inglês.
7. Já estamos _____ fim de novembro.

F. Complete as frases com as palavras da caixa.

> aspeto   situação   pesquisa
> ~~percurso~~   paragem   vila

1. Qual é o percurso que vocês querem fazer?
2. Moura é uma pequena _____ no Alentejo.
3. Não querem fazer uma _____ no caminho?
4. O Ricardo está com ótimo _____ hoje.
5. O Jorge está numa _____ muito complicada.
6. Fiz uma _____ na Internet.

G. Escreva os diminutivos.

1. sopa   sopinha
2. doce   _____
3. amor   _____
4. pé   _____
5. mão   _____
6. saco   _____
7. viagem   _____
8. olhos   _____
9. peixe   _____

H. Leia o texto e sublinhe as formas corretas dos verbos. Às vezes, as duas formas estão corretas.

Ando/Tenho andado[1] a pensar em ir passar uns dias ao Algarve, mas não **é/tem sido**[2] fácil encontrar tempo. O trabalho acaba sempre por ganhar e não me deixa tirar uns dias de férias. Na semana passada, **estava/estive**[3] quase a conseguir sair na 5.ª feira depois do almoço, quando, de repente, **apareceu//tem aparecido**[4] um problema muito complicado e eu **era/fui**[5] a única pessoa que **sabia/soube**[6] resolvê-lo. Ontem, até **conseguia/consegui**[7] fazer a mala, entrar no carro e começar a viagem. Já **estava/estive**[8] a cerca de 30 km de Lisboa quando o telefone **tocava/tocou**[9]. **Tinha/Tive**[10] de parar o carro para atender a chamada. **Pediam/Pediram**[11]-me para ir trabalhar para ajudar a resolver uns problemas com um cliente novo.

Naquele momento, **tinha/tive**[12] uma ideia: convidar a colega que me **telefonava/telefonou**[13] sempre para fazer férias comigo. Assim, já não **podia//pôde**[14] telefonar-me. Só **havia/houve**[15] um problema: **tínhamos/tivemos**[16] de passar as férias juntos.

O meu plano **resultava/resultou**[17]. Finalmente, estou de férias no Algarve! **Chegávamos/Chegámos**[18] ontem. O tempo **está/esteve**[19] ótimo para **ido/ir**[20] à praia. **Preferia/Preferi**[21] estar sozinho, mas também estou bem com ela.

I. Faça frases com as palavras dadas.

1. parar / esperarmos / é / aqui / chover / melhor / / de / até
   É melhor esperarmos aqui até parar de chover.
2. para / ida / aproveitei / mar / à / tomar / a / / banho / praia / no

   _____

3. um / trânsito / causa / lento / de / ficou / o / por / / acidente

   _____

4. caminho / não / no / para / tivemos / paragens / / tempo / fazer

   _____

5. a / passadeira / perigoso / da / é / estrada / fora / / atravessar

   _____

UMA VIAGEM SEM PLANO

COMUNICAÇÃO
falar sobre a estadia na praia, descrever a estadia num hotel

VOCABULÁRIO
praia, atividades turísticas, hotéis

PRONÚNCIA
letra **x**, letra **e** em posição inicial

GRAMÁTICA
pretérito-mais-que--perfeito composto do indicativo

A. Faça a correspondência entre as colunas.

1. chapéu	a. de areia
2. protetor	b. de quarto
3. toalha	c. de jipe
4. nadador	d. solar
5. praia	e. de praia
6. serviço	f. de sol
7. passeio	g. salvador

B. Complete as letras que faltam nas palavras.

1. A muralha é uma parede ou muro alto.

2. A m_ _ _ _ _ _ é um local para o estacionamento de barcos pequenos.

3. O c_ _ _ _ _ _ _ é um aparelho que faz funcionar uma máquina.

4 A d_ _ _ é uma montanha de areia.

5. A s_ _ _ _ _ é um conjunto de montanhas não muito altas.

6. A g_ _ _ _ _ _ _ é o dinheiro extra que o cliente dá a um empregado de mesa ou a um taxista.

7. A r_ _ _ _ _ _ _ _ _ _ é a estação ou o terminal de camionetas.

8. A p_ _ _ _ _ é a atividade de apanhar peixes.

9. A e_ _ _ _ _ _ _ _ é um passeio ou uma viagem em grupo.

C. Complete as frases com as palavras em falta.

1. Penso muito sobre os meus pais.

2. Tivemos umas férias _____ sonho.

3. Este prédio está _____ obras.

4. Planeámos esta viagem _____ antecedência.

5. Esperámos _____ à partida do comboio.

6. Nesta casa, tudo está _____ do lugar.

D. Complete as frases com *acabar de* ou *acabar por* na forma correta do P.P.S.

1. Os meus pais queriam vender esta casa, mas acabaram por alugá-la.

2. No início achávamos esta cidade horrível, mas _____ gostar dela.

3. A: A Sofia foi-se embora há muito tempo?
   B: Não. Ela _____ sair.

4. Tinha planeado arrumar a casa no sábado, mas _____ não fazer nada.

5. Achava que gostavas de trabalhar na nossa empresa, mas _____ saber que queres mudar de emprego.

6. A Ana _____ se casar e já quer divorciar-se.

E. Complete as frases com a palavra correta.

1. Vamos lançar uma moeda para decidir quem vai primeiro.
   a) tirar   b) lançar   c) apanhar

2. O João _____ um escaldão ontem na praia.
   a) teve   b) pegou   c) apanhou

3. Não me perguntes quem comeu o chocolate. Eu não tenho nada a _____ com isso.
   a) haver   b) ver   c) fazer

4. Não me _____ jeito ir contigo às compras agora.
   a) traz   b) dá   c) faz

5. Detesto chegar às reuniões em cima _____.
   a) da hora   b) do tempo   c) do momento

6. A Joana _____ um livro emprestado.
   a) deu-me   b) pediu-me   c) mandou-me

7. Toda a gente diz que a Rita é uma excelente pessoa, mas, _____ assim, não confio nela.
   a) até   b) logo   c) mesmo

8. Quando me mudei para Lisboa, _____ muitos amigos.
   a) conheci   b) encontrei   c) fiz

F. Junte as frases como no exemplo.

1. Vocês telefonaram às 19h00. O jogo terminou às 18h00.

   Quando vocês telefonaram, o jogo já tinha terminado.

2. O João nasceu em 1988. A tia Alice morreu em 1985.

   _____

3. Chegámos ao aeroporto às 20h45. O avião partiu às 20h30.

   _____

4. A empregada fez o jantar às 22h. A avó adormeceu às 21h.

   _____

5. A Ana foi à rua às 9h. A chuva parou às 8h30.

   _____

6. Conheci-te em julho. Terminaste o curso em maio.

   _____

G. Reescreva as frases usando o Imperfeito em vez do Presente e o Pretérito Mais-Que-Perfeito Composto em vez do P.P.S.

1. Estou cansado porque andei muito.

   Estava cansado porque tinha andado muito.

2. A Ana está maldisposta porque discutiu com o namorado.

   _____

3. Estou satisfeito porque passei no exame.

   _____

4. Não tenho sede porque bebi muita água.

   _____

5. Estou constipado porque apanhei frio.

   _____

6. O Tiago está bronzeado porque foi à praia.

   _____

7. O portátil está avariado porque caiu ao chão.

   _____

8. Estou com fome porque não comi nada.

   _____

9. Doem-me as costas porque caí.

   _____

10. A Marta está chateada porque perdeu muito dinheiro.

   _____

H. As frases abaixo têm erros. Reescreva-as sem erros.

1. O quarto era cheio de lixo.

   O quarto estava cheio de lixo.

2. Este quarto não é nada especial.

   _____

3. O serviço neste bar deixa muito para desejar.

   _____

4. O quarto cheira com cigarros.

   _____

5. Ficámos num hotel com luxo.

   _____

6. Esta casa precisa das obras.

   _____

7. As camas eram um pouco confortáveis.

   _____

8. Neste quarto, se ouve o barulho da rua.

   _____

9. O hotel está longe do centro.

   _____

10. O que é que acham neste quarto?

   _____

I. Escreva um texto sobre a sua última ou mais memorável estadia num hotel.

_____

_____

_____

_____

_____

_____

_____

_____

_____

_____

_____

COMUNICAÇÃO

relatar experiências, dar opinião

VOCABULÁRIO

os sentidos, vida urbana

FORMAÇÃO DE PALAVRAS

prefixos **in-** e **im-**

GRAMÁTICA

colocação do pronome com tempos compostos, expressão de causa

A. Faça a correspondência entre as colunas.

1. sabor
2. cheiro
3. vista
4. toque
5. som

a. os dedos
b. os ouvidos
c. a língua
d. os olhos
e. o nariz

B. Complete as frases com as preposições/ /contrações em falta.

1. Estou *com* muitas dúvidas neste exercício.
2. Este molho sabe muito _____ peixe.
3. O vento trouxe à cidade o cheiro _____ mar.
4. Queria ter um carro igual _____ teu!
5. Não encontro os óculos _____ lado nenhum!
6. As laranjeiras estão _____ flor na primavera.
7. Olha _____ tua volta!
8. Devido _____ mau tempo, o trânsito está lento.

C. Complete as frases com os verbos da caixa na forma correta.

agradar ~~encher~~ explicar
organizar resolver tocar

1. Podes *encher* este copo com água?
2. Sem pensar muito, o João _____ comprar uma viagem à Austrália.
3. A Rita quer _____ a festa de anos dela sem ajuda de ninguém.
4. Não me _____ nada a ideia de passar o sábado a fazer limpezas em casa.
5. Algumas regras de gramática são difíceis de _____.
6. É favor não _____ no vidro!

D. Escreva os nomes correspondentes.

1. respeitar   *respeito*
2. sentir   _____
3. fumar   _____
4. surpreender _____
5. tocar   _____
6. duvidar   _____
7. instalar   _____
8. atender   _____

E. Reformule as frases usando as palavras da caixa na forma correta. As frases não podem mudar de significado.

presente / assim-assim / encontrar-se
época / lembrar-se / ~~piada~~
inesquecível / sucesso / resolver

1. Não gosto nada desta viagem.
   Não acho piada nenhuma a esta viagem.
2. Sabem dizer-me onde fica o Museu da Ciência?
   _____
3. O António deu-me uma prenda.
   _____
4. Esqueci-me de trazer o protetor solar.
   _____
5. Este negócio tem sido um êxito.
   _____
6. Nesta altura do ano, não chove muito.
   _____
7. Nunca me vou esquecer das férias deste ano.
   _____
8. O hotel em que fiquei era mais ou menos.
   _____
9. Acabei por não comprar o vestido por ser caro.
   _____

F. Reformule as frases usando a conjunção dada.

1. Não vou a este restaurante porque não gosto dos empregados. *(por)*
   Não vou a este restaurante por não gostar dos empregados.

2. Como não tens dinheiro, não podes comprar nada. *(porque)*
   _____
   _____

3. As máquinas não funcionam por causa da falta de luz. *(devido a)*
   _____
   _____

4. Já que conheces bem a Dra. Paula, não te importas de falar com ela? *(como)*
   _____
   _____

5. Como houve um problema informático, a loja teve de fechar mais cedo. *(uma vez que)*
   _____
   _____

6. Não acabei a tradução porque não tinha tempo. *(por causa de)*
   _____
   _____

7. Como está calor, as pessoas bebem mais cerveja. *(porque)*
   _____
   _____

8. A estrada está fechada por causa de um acidente. *(como)*
   _____
   _____

9. Estás vestido, por isso podes ir pôr o lixo no caixote. *(já que)*
   _____
   _____

10. O Pedro conseguiu este emprego por ser uma pessoa muito organizada. *(porque)*
    _____
    _____

11. Já que te levantaste, podes fazer o pequeno-almoço. *(como)*
    _____
    _____

12. Uma vez que estamos de férias, vamos aproveitá-las o melhor possível. *(já que)*
    _____
    _____

G. A ordem das palavras nas frases abaixo está correta ou errada? Corrija as frases erradas.

1. A Ana já tinha-se reformado quando a conheci.
   A Ana já se tinha reformado quando a conheci.

2. Tenho-me dado sempre bem com os vizinhos.
   _____

3. Quando chegaste, eu já tinha me deitado.
   _____

4. O avô já se tinha reformado quando nasceste.
   _____

5. O João não se tem sentido bem ultimamente.
   _____

6. Te tens encontrado com o João?
   _____

7. Nunca me tinha esquecido de fechar a porta.
   _____

8. Nos temos divertido muito na casa da Paula.
   _____

9. O João tem queixado-se de dores nas costas.
   _____

H. Faça frases com as palavras dadas.

1. trouxe / filho / da / recordação / o / lhe / Ana / / bela / China / uma / da
   O filho da Ana trouxe-lhe uma bela recordação da China.

2. pode / neste / nenhum / não / em / país / fumar / / lado / se
   _____

3. de / este / dinheiro / emprego / mais / me / / ganhar / a / deu / oportunidade
   _____

4. deste / não / perfume / me / cheiro / agrada / o / / nada
   _____

5. piada / não / a / acho / este / nenhuma / filme
   _____

6. a / som / concerto / problema / foi / um / de / / cancelado / o / devido
   _____

7. de / o / cheiro / quarto / se / café / encheu / de
   _____

8. anos / prenda / que / te / comprei / já / uma / fazes
   _____

NO TÁXI

A. Complete as frases com a palavra correta.

1. O senhor tem preferência de *percurso*?
   a) percurso   b) caminho   c) estrada

2. Onde é que fica _____ dos bombeiros?
   a) a esquadra   b) a agência   c) o quartel

3. Há alguma _____ de táxis aqui perto?
   a) praça   b) estação   c) paragem

4. Esta é uma rua de sentido _____.
   a) singular   b) único   c) individual

5. Estou à tua espera _____ da estátua.
   a) ao corpo   b) à perna   c) ao pé

6. Esta rua é paralela _____ Rua das Gaivotas.
   a) com a   b) à   c) para a

B. Leia e ordene as frases do diálogo.

Chegámos. São 6 euros. ☐

Vá pela Avenida Dom Carlos I, se faz favor. ☐

Faça favor. Tenha um bom dia. ☐

Onde é que quer ficar? ☐

Para onde é que vai ser? ☐

Tem alguma preferência de percurso? ☐

Deixe-me naquela esquina, se faz favor. ☐

Rua das Francesinhas, 25, se faz favor. ☐

VOCABULÁRIO QUE DEVE SABER USAR:

UNIDADE 9

colaborar
confessar

a apresentação
a bolsa
o bolseiro
o canalizador
a capacidade
a competência
a comunicação
o conhecimento
o currículo
o *designer* gráfico
o entrevistador
a fábrica
a formação académica
o gosto
a licenciatura
o mecânico
a média
o/a motorista
a naturalidade
o operário
a organização
o perfil
o/a piloto
a pronúncia
a publicidade
as qualificações
o/a rececionista
a renda
a vaga
o valor
o vendedor

ambicioso
arrependido
criativo
desempregado
disponível
flexível
mal pago
rígido
suficiente

recentemente
ultimamente
à procura de
nos últimos tempos

UNIDADE 10

aproveitar
chegar à conclusão
consultar
dar um passeio
enganar-se (em)
incluir
pronunciar
reduzir
reparar (em)
respeitar
ter (mau/bom) aspeto

a autoestrada
o camião
o companheiro
o condutor
a curva
a direção
o engarrafamento
a gasolina
o limite
a normalidade
a passadeira
o peão
o percurso
a pesquisa
a portagem
a previsão do tempo
a qualidade
o respeito
o sinal (de trânsito)
a situação
a velocidade
a vila

anterior
nervoso

em direção a
logo depois
no total

Fica para a próxima!

PORTUGUÊS EM AÇÃO 3

a estátua
o largo
a pensão
a praça de táxis
a preferência
o quartel de bombeiros
É que...
paralelo
perpendicular
de sentido único

UNIDADE 11

acabar por
cheirar (a)
controlar
dar jeito
desejar
lançar

a areia
o atendimento
o barulho
o chapéu de sol
o comando
o cuidado
o dado
a duna
o escaldão
a excursão
a falésia
a gorjeta
as instalações
o jipe
a lição
o luxo
a marina
a muralha
o nadador-salvador
as obras
a pesca
o protetor solar
o psicólogo
o resto
a rodoviária
a serra
a toalha (de praia)

acompanhado
apropriado
controlador

com antecedência
em cima da hora
mesmo assim

Não tem nada a ver!

ESCRITA 3

conter
a atenção
a posição
internacional
nacional
Em resposta a...
formado em...
Junto envio...
Atenciosamente
Atentamente

UNIDADE 12

achar piada
agradar
encher
explicar
organizar
resolver
saber (a)
soar
tocar (em)

as castanhas
o cheiro
as cigarras
a constipação
a dúvida
a época
as especiarias
a forma
a frequência
o fumo
a humidade
a laranjeira
a oportunidade
o ponto
a recordação
o sabor
o sentido
o sino
o som
o sucesso
a surpresa
o toque

curioso
engraçado
espetacular
excelente
incrível
inesquecível
inseguro
inútil
paciente
tradicional

afinal
assim-assim
devido a
em flor
em lado nenhum
já que
sem dúvida nenhuma
uma vez que

COMUNICAÇÃO

falar sobre os problemas da vida na cidade, falar sobre o futuro

VOCABULÁRIO

cidade, vida urbana, arquitetura, dimensões

PRONÚNCIA

formas verbais, acento, som [ɐ]

GRAMÁTICA

futuro simples do indicativo

A. Complete as frases com a preposição/contração em falta.

1. A Lúcia e a Patrícia são *da* mesma opinião.
2. Não acredito _____ que acabaste de dizer!
3. Isso é típico _____ teu irmão!
4. Este edifício ainda está _____ construção.
5. Esta ponte só é acessível _____ peões.
6. A nossa mesa tem 80 cm _____ largura.
7. Espero ter a oportunidade _____ conhecer a Ana.
8. _____ minha opinião, deves estudar mais.
9. João, podes não mexer _____ minhas coisas?

B. Complete as frases com os verbos da caixa na forma correta.

> chatear   desabafar   apitar   ligar
> mexer   prestar   ~~caber~~   chamar

1. Achas mesmo que este armário vai *caber* no meu quarto?
2. Tenho de falar com a Ana e não será uma conversa agradável. Vou mesmo _____-me com ela!
3. João, estou a ver que precisas de _____. A mim, podes contar-me tudo! Força!
4. O condutor _____ quando viu um peão a atravessar a rua.
5. O telemóvel que comprei anteontem não _____ para nada! Vou devolvê-lo!
6. Fica quieto! Não te _____!
7. Alguém pode _____ um médico? Este senhor está a sentir-se mal!
8. Um comboio super-rápido vai _____ duas das principais cidades do país.

C. Complete as palavras com as letras que faltam.

1. As pessoas que moram numa cidade são os seus h*abitantes*.
2. A altura de uma montanha em relação ao nível do mar é a sua a_ _ _ _ _ _ _.
3. Nas cidades em que não nos sentimos seguros há muita c_ _ _ _ _ _ _ _ _ _ _.
4. O que pagamos por uma coisa é o c_ _ _ _ dela.
5. Quando há muitas pessoas sem trabalho, dizemos que há muito d_ _ _ _ _ _ _ _ _.
6. Quando numa cidade não há casas suficientes, dizemos que há falta de h_ _ _ _ _ _ _ _.
7. A largura, o comprimento e a altura são m_ _ _ _ _ _.
8. O que você pensa sobre um assunto é a sua o_ _ _ _ _ _.
9. O p_ _ _ _ _ _ ainda é só um plano, mas, em breve, vai ser uma realidade.
10. Quando o ar está sujo, dizemos que há muita p_ _ _ _ _ _ _ _ no ar.
11. O que fica de um todo é o r_ _ _ _.
12. O r_ _ _ _ é o barulho.
13. Um rio tem duas m_ _ _ _ _ _.

D. Escreva as formas do Futuro do Indicativo.

1. *(vocês)* colocam   *colocarão*
2. *(nós)* permitimos   _____
3. *(eles)* explicam   _____
4. *(tu)* agradeces   _____
5. *(ele)* consulta   _____
6. *(eles)* sofrem   _____
7. *(eu)* digo   _____

E. Que problemas existem na sua cidade? Quais são os mais graves e mais difíceis de resolver? Escreva sobre esta questão.

G. Como será a sua cidade daqui a 10 anos? Escreva sobre esta questão. Use o Futuro do Indicativo.

F. Faça frases colocando o verbo no Futuro do Indicativo. Acrescente os artigos e as preposições. Faça todas as outras alterações necessárias. Não mude a ordem das palavras.

1. esta / ser / ponte / mais / longo / mundo
   Esta será a ponte mais longa do mundo.

2. esta / torre / ter / 80 / metro / comprimento

3. longo / esta / rua / haver / muito / árvore

4. este / hotel / estar / pronto / início / próximo / mês

5. preço / bebidas / este / restaurante / não / agradar /
   / clientes

6. ninguém / fazer / esta / tradução / melhor / que /
   / Ana

7. diretor / apresentar / um / novo / projeto /
   / próximo / reunião

H. Faça frases com as palavras dadas.

1. habitação / os / cidade / altos / nesta / com /
   / muito / custos / são / a
   Os custos com a habitação nesta cidade são muito altos.

2. reuniões / escritório / muita / no / com / nosso /
   / frequência / fazemos

3. assunto / não / dizer / tenho / este / nada /
   / sobre / a

4. ajudar / amiga / me / a / para / está / minha /
   / disponível / Fátima / sempre

5. estacionam / em / carro / pessoas / fila / o /
   / segunda / muitas

6. da / no / culpa / mas / professora / chumbei / a /
   / exame / é

7. se / ficámos / 3 000 / que / altitude / num / de /
   / encontra / metros / hotel / a

SERÁ MESMO ASSIM?

COMUNICAÇÃO

falar sobre questões culturais, expressar dúvida e incerteza, concordar e discordar

VOCABULÁRIO

cultura portuguesa, números

FORMAÇÃO DE PALAVRAS

sufixo nominal **-eza**

GRAMÁTICA

expressão de dúvida ou incerteza com o futuro simples do indicativo, ordinais 11-20, frações

A. Encontre dentro da caixa as palavras que têm significados próximos e escreva-as abaixo.

> especialista   motivo   causa   assunto
> ~~recordação~~   conhecedor   lenda   maneira
> questão   história   modo   ~~lembrança~~

1. recordação   lembrança
2. _____   _____
3. _____   _____
4. _____   _____
5. _____   _____
6. _____   _____

B. Sublinhe o verbo correto.

1. O sol saiu detrás das nuvens e **acendeu/iluminou** toda a cidade.
2. Esta lâmpada não **acende/ilumina**. Vamos substituí-la!
3. No seu relatório, você **esqueceu/omitiu** algumas informações importantes.
4. A Joana **concordou/confirmou** em ir comigo ao médico.
5. Ana, pode **confirmar/concordar** se o Dr. Santos recebeu o meu *e-mail*?
6. O Jaime já te **contou/explicou** como funciona esta máquina?

C. Faça a correspondência entre as colunas de modo a criar frases que exprimam concordância ou discordância.

1. Isso...   a. ... parece!
2. Não me...   b. ... contrário!
3. Não é bem...   c. ... dúvida!
4. Pelo...   d. ... disso!
5. Sem...   e. ... mesmo!
6. Nada...   f. ... assim!

D. Concorda com as afirmações abaixo? Reaja usando as frases do exercício C.

1. As melhores coisas da vida não se compram.
   _____
2. Todos os políticos mentem.
   _____
3. A Internet torna as pessoas mais estúpidas.
   _____
4. Ir ao cinema é coisa do passado.
   _____
5. O mundo está a ficar mais perigoso.
   _____
6. Comer carne faz mal à saúde.
   _____

E. Faça frases com as palavras dadas.

1. da / especialista / Ana / transportes / o / na / pai / / área / é / de
   O pai da Ana é especialista na área de transportes.
2. mandou / Rui / a / mensagem / será / ontem / / que / uma / Ana / ao
   _____
3. mesma / nós / que / diretor / será / o / opinião / / tem / a / que
   _____
4. pessoa / faz / é / me / o / sempre / Pedro / que / / rir / uma
   _____
5. tem / o / computadores / nenhum / os / para / / jeito / não / Rafael
   _____
6. dos / trabalho / graças / colegas / depressa / / terminei / à / mais / o / ajuda
   _____

F. Complete as frases com a palavra que tem significado oposto às palavras entre parêntesis.

1. Nesta cidade, vê-se muita riqueza. *(pobreza)*

2. Esta receita é muito c_____. *(simples)*

3. O irmão da Ana é um rapaz muito s_____. *(divertido)*

4. Quando vi a Ana, senti uma grande a_____. *(tristeza)*

5. Acho o preço desta casa bastante b_____. *(exagerado)*

6. A viagem que fizemos foi uma m_____! *(um horror)*

G. Leia o texto. A seguir, leia as frases abaixo. São verdadeiras (V) ou falsas (F)? Assinale.

O nome dado aos passeios de cor branca e preta, tão típicos das cidades portuguesas, é *calçada portuguesa*. Os trabalhadores que fazem estes passeios chamam-se *calceteiros*. Esta atividade começou em Portugal, no século XIX, e rapidamente chegou aos países africanos de língua oficial portuguesa, ao Brasil e a Macau. Hoje em dia, a calçada portuguesa é um dos símbolos de Portugal. Em 1986, abriu uma escola para calceteiros, para manter viva esta arte. A calçada portuguesa é, sem dúvida nenhuma, muito bonita. Mas tem também alguns defeitos. Um deles é ser difícil andar nela, sobretudo quando chove. As pedras da calçada ficam molhadas e muito perigosas para as senhoras que usam saltos altos e também para as pessoas com mais idade ou com dificuldades em se movimentarem. Já houve casos em que as pessoas caíram e tiveram problemas de saúde complicados. Por esta razão, alguns portugueses acham que a calçada portuguesa devia continuar a existir apenas nos centros históricos das cidades. Para eles, a segurança é mais importante do que a beleza.

1. A calçada portuguesa existe em vários continentes. V F

2. Todos concordam que a calçada portuguesa é muito bonita. V F

3. A calçada portuguesa pode ser perigosa. V F

4. Há portugueses que querem acabar com a calçada portuguesa. V F

H. Sublinhe a versão por extenso correta.

1. 1 ½
   a) um e meio
   b) um e metade

2. 2 ¼
   a) dois e quarto
   b) dois e um quarto

3. ⅓
   a) um terço
   b) um terceiro

4. 5 ³/₅
   a) cinco e terço quinto
   b) cinco e três quintos

5. 16.º
   a) décimo sexto
   b) dez sexto

6. 762
   a) setecentos e sessenta e dois
   b) setecentos sessenta e dois

7. 1739
   a) mil e setecentos e trinta e nove
   b) mil setecentos e trinta e nove

I. Escreva os números por extenso.

1. 68 879
   sessenta e oito mil oitocentos e setenta e nove

2. 231 400

   _____

   _____

3. 4 902 300

   _____

   _____

4. 12 340 500

   _____

   _____

J. Complete com a preposição/contração em falta.

1. À saída do parque de estacionamento, vi que me tinha esquecido de fazer o pagamento.

2. Passei no exame graças ____ ti.

3. Tenho uma reunião ____ fim da tarde.

4. Os portugueses gostam de bacalhau e o Rui não é exceção ____ regra.

5. Aquele edifício parece ser muito interessante. Quero vê-lo ____ perto.

COMUNICAÇÃO

ler uma história, descrever um edifício

VOCABULÁRIO

materiais, objetos, invenções

PRONÚNCIA

formas verbais

GRAMÁTICA

verbos com irregularidades, voz passiva de ação (com **ser**)

A. De que é que são feitos os objetos abaixo? Escreva.

1. Os copos *são feitos de vidro.*
2. Os móveis _____.
3. Os sapatos _____.
4. Os sacos de supermercado _____.
5. As camisas _____.
6. As latas _____.
7. Os envelopes _____.
8. Os talheres _____.
9. As chávenas _____.
10. As camisolas _____.

B. Complete os espaços com as palavras da caixa.

> lâmpada / lentes de contacto / papel higiénico
> ~~rodas~~ / vela / pastilha elástica / balão

1. Graças a elas, os carros podem andar: *rodas*
2. Dá luz quando não há eletricidade: _____
3. São usadas em vez dos óculos: _____
4. Está na casa de banho: _____
5. O candeeiro não funciona sem ela: _____
6. Para pôr na boca: _____
7. Quando se enche de gás, pode voar: _____

C. Complete as frases com os verbos na forma correta do Presente do Indicativo (voz ativa).

1. Todos *construímos* o nosso futuro. (*nós/construir*)
2. _____ todos os telemóveis que tenho. (*eu/destruir*)
3. Os pais da Joana _____ uma casa no campo. (*construir*)
4. Porque é que _____ todos os brinquedos? Não te compro mais nenhum! (*destruir*)
5. A Câmara Municipal _____ uma rede de piscinas na cidade. (*construir*)

D. Complete os pares.

1. apresentar — *apresentação*
2. _____ — construção
3. localizar — _____
4. _____ — imaginação
5. poluir — _____
6. _____ — destruição
7. treinar — _____
8. _____ — produção
9. abrir — _____
10. _____ — realização
11. encerrar — _____

E. Complete as frases com os verbos da caixa na voz passiva.

> destruir   realizar   inventar   interromper
> adiar   rodar   ~~demolir~~   vigiar
> construir   abandonar   recuperar

1. Uma parte deste edifício vai *ser demolida* em breve.
2. A lâmpada _____ por Thomas Edison em 1879.
3. A reunião tem de _____ para quinta-feira.
4. Esta igreja _____ no século XVIII.
5. O filme *E.T.* _____ por Steven Spielberg.
6. Algumas ruas do centro de Lisboa _____ por um fogo em 1988.
7. Este edifício _____ por muitos seguranças.
8. Esta estátua está em muito mau estado. Felizmente, em breve, deve _____.
9. O jogo de futebol _____ devido ao mau tempo 25 minutos depois do início.
10. O filme *A Nona Porta* _____ em Sintra.
11. Este cão _____ pelos donos.

F. Faça frases com as palavras dadas.

1. suas / ser / as / pesadas / têm / malas / de / / todas
   Todas as suas malas têm de ser pesadas.

2. para / reunião / ser / a / alterada / da / data / / sexta-feira / vai

   _____

3. fui / que / festa / porque / convidado / anos / / é / tua / de / não / a / para

   _____?

4. me / oferecido / este / Joana / foi / pela / livro

   _____

5. pelo / os / a / servidos / empregado / estão / / clientes / ser

   _____

6. nesta / pintadas / antigamente / de / as / eram / / branco / cidade / casas

   _____

7. por / Teresa / pessoas / a / todas / é / as / amada

   _____

8. fogo / foram / os / apagar / bombeiros / para / o / / chamados

   _____

G. Complete as frases com o verbo no P.P.S., na voz ativa ou passiva.

1. Esta decisão *foi tomada* demasiado tarde. *(tomar)*

2. Porque é que a sopa ainda não _____? *(servir)*

3. Que camisa é que você _____? *(escolher)*

4. Os computadores _____ pelo técnico. *(desligar)*

5. Ninguém _____ a minha chamada. *(atender)*

6. Todos os clientes já _____. *(atender)*

7. A loja do Sr. Santos já _____. *(abrir)*

8. Vocês é que _____ a piza? *(encomendar)*

9. O condutor _____ pela polícia. *(parar)*

10. David, tu já _____ à nova direção? *(apresentar)*

11. Você _____ a reunião sem razão nenhuma. *(interromper)*

12. Eu nunca _____ que isto podia acontecer. *(imaginar)*

13. As nossas bicicletas _____ na semana passada. *(roubar)*

H. Escreva as frases na voz passiva. Acrescente palavras e faça outras alterações necessárias para tornar as frases corretas. Não mude a ordem das palavras.

1. quando / este livro / escrever
   Quando é que este livro foi escrito?

2. quarto do Afonso / limpar / ontem

   _____

3. esta camisa / fazer / onde

   _____?

4. esta carta / ter de / traduzir / para italiano

   _____

5. esta camisola / já alguma vez / lavar

   _____?

6. onde / tirar / estas fotografias

   _____?

7. voo / TAP / para Barcelona / cancelar

   _____

8. América / descobrir / Colombo

   _____

9. fatura da água / ainda não / pagar

   _____

10. casa do Dr. Ramos / vender / 200 mil euros

    _____

11. estes tapetes / comprar / Marrocos

    _____

12. João / apanhar / a copiar no exame / Química

    _____

13. esta mochila / ainda não / usar

    _____

14. todo dinheiro / gastar / semana passada

    _____

15. quando / enviar / relatório de contas

    _____?

16. esta questão / já / discutir / várias vezes

    _____

17. mandarim / ensinar / algumas escolas / Portugal

    _____

18. praias portuguesas / procurar / turistas

    _____

19. nova proposta / apresentar / amanhã

    _____

20. contratos / assinar / agora mesmo

    _____

21. domingo passado / pôr / vidros duplos / todas janelas

    _____

COMUNICAÇÃO	VOCABULÁRIO	FORMAÇÃO DE PALAVRAS	GRAMÁTICA
ler e fazer um relato de um crime, falar sobre o crime	crime	sufixo nominal **-ista**	voz passiva de estado (com **estar**), particípio passado irregular, **enquanto**

A. Faça as palavras cruzadas.

Horizontal:

1. Roubo com uso de força.
4. O polícia que investiga crimes.
6. O criminoso que mata pessoas.
8. Graças a eles, as cidades são mais seguras.
10. O local onde trabalham os polícias.
11. A atividade do ladrão.

Vertical:

2. O polícia.
3. Rouba carteiras sem ninguém reparar.
5. É onde acabam os ladrões e os assassinos.
7. Atividade ilegal.
9. Aquele que rouba.

B. Complete as frases com os verbos da caixa na forma correta.

| prestar deter assaltar meter |
| dar desaparecer mandar ~~chamar~~ |

1. Alguém pode *chamar* a polícia?
2. O que é que está a _____ na televisão?
3. Vocês não estão a _____ atenção!
4. Ontem, tentaram _____ a nossa casa.
5. Não te _____ na minha vida!
6. Ontem, a polícia _____ o ladrão.
7. De manhã, o céu estava cinzento, mas, depois, as nuvens _____.
8. Podes _____ a empregada lavar a escada?

C. Complete com o particípio passado correto.

1. As velas estão *acesas*. (*acender*)
2. A sua proposta não foi _____. (*aceitar*)
3. A carta vai ser _____ amanhã. (*entregar*)
4. O nosso gato foi _____ no mês passado. (*matar*)
5. O seu casaco ficou _____ na porta! (*prender*)
6. Paris é _____ como a Cidade Luz. (*conhecer*)
7. Conseguimos chegar a casa antes da chuva. Estamos _____! (*salvar*)
8. O carteirista foi _____ pelos polícias. (*deter*)

D. Complete com a preposição/contração correta.

1. À esta hora já devias estar a dormir!
2. Está _____ hora de se levantar!
3. Estou sentado _____ secretária.
4. Este vestido é muito fora _____ comum.
5. Está tudo _____ ordem!
6. A Ana está aflita _____ alguma coisa.

E. Ligue as frases usando *enquanto*. Escreva os verbos na forma correta do Imperfeito.

1. Eu (*dormir*). Vocês (*jogar*) xadrez.

   Enquanto eu dormia, vocês jogavam xadrez.

2. O professor (*falar*). A Rita (*tirar*) apontamentos.
   _____

3. A Ana (*traduzir*) o texto. O Rui (*tratar*) do almoço.
   _____

4. A água (*aquecer*). Eu (*preparar*) a salada.
   _____

5. A empregada (*varrer*) o chão. A D. Lúcia (*pendurar*) a roupa.
   _____

6. Vocês (*conversar*). Eu (*fazer*) a sobremesa.
   _____

7. Os pais (*estar*) no teatro. A avó (*tomar*) conta dos filhos.
   _____

8. O filho (*chorar*). A mãe (*falar*) ao telefone.
   _____

9. O Pedro (*pôr*) a mesa. A Ana (*acabar*) o jantar.
   _____

10. Eu (*fazer*) os trabalhos de casa. Tu (*ouvir*) música.
    _____

F. Ligue as frases usando *quando*. Escreva os verbos na forma correta.

1. (*eu/encontrar*) a Ana. (*eu/passear*) no parque.

   Encontrei a Ana quando estava a passear no parque.

2. A roda (*cair*). O avião (*levantar*) voo.
   _____

3. A impressora (*avariar*). (*eu/imprimir*) o bilhete.
   _____

4. (*eu/acordar*). (*chover*) muito.
   _____

5. O João (*partir*) a perna. (*ele/fazer*) esqui.
   _____

6. As luzes (*apagar-se*). (*eu/ler*).
   _____

7. (*eu/receber*) uma chamada. (*eu/conduzir*).
   _____

8. O carro (*bater*) numa árvore. O condutor (*falar*) ao telemóvel.
   _____

9. (*eu/perder*) as chaves. (*eu/correr*).
   _____

G. Faça frases com as palavras dadas.

1. valor / os / tudo / tinha / ladrões / o / levaram / que

   Os ladrões levaram tudo o que tinha valor.

2. fazer / de / reunião / um / antes / da / telefonema / / precisava
   _____

3. às / Ana / mensagens / acho / não / minhas / / estranho / responder / muito / a
   _____

4. com / estou / aconteceu / irmã / o / à / muito / / minha / aflito / que /
   _____

5. carteira / os / os / a / documentos / assaltantes / / com / roubaram / todos / me
   _____

6. foi / que / televisão / é / da / cozinha / como / / parar / o / à / comando
   _____?

7. um / comum / roubo / crime / muito / Portugal / / o / de / é / azulejos / em
   _____

8. nada / digo / vocês / eu / atenção / não / que / / prestam / do / a
   _____!

H. Já alguma vez você ou alguém que você conhece foi assaltado ou roubado? O que é que aconteceu exatamente? Descreva o sucedido.

_____
_____
_____
_____
_____
_____
_____
_____
_____
_____
_____

NO ALUGUER DE AUTOMÓVEIS

A. Complete as frases com as preposições/ /contrações em falta.

1. Onde está a chave *do* carro?
2. Este carro é muito _____ conta.
3. Queria alugar um carro _____ três dias.
4. Este carro é caro _____ comparação _____ aquele.
5. O carro tem seguro _____ roubo.

B. Complete as frases com os verbos da caixa na forma correta do Presente ou do Particípio Passado.

avariar   cobrar   devolver
cobrir   pretender   ~~incluir~~

1. O ar condicionado está *incluído* no preço.
2. Que tipo de carro _____ alugar?
3. Este seguro não _____ tudo.
4. Quanto é que vocês _____ pelo GPS?
5. O meu carro está _____.
6. O carro deve ser _____ até sábado.

C. Faça a correspondência entre as frases 1-5 e a-e. Escreva as letras nos quadrados.

1. Posso passar à sua frente? ☐
2. Esqueci-me de encher o depósito. ☐
3. Vou fazer um seguro contra todos os riscos. ☐
4. Não tenho o cartão de cidadão comigo. ☐
5. O seguro obrigatório é muito barato. ☐

a. Assim, fico mais tranquilo.
b. É uma urgência.
c. Mas não cobre tudo.
d. Onde é a bomba de gasolina mais próxima?
e. Posso dar-lhe o passaporte?

VOCABULÁRIO QUE DEVE SABER USAR:

UNIDADE 13

acreditar (em)
anunciar
apitar
apresentar
chamar
desabafar
ligar
mexer-se
prestar
votar (em)

a altitude
a construção
o comprimento
a criminalidade
o cubo
a culpa
o custo
o desemprego
o engarrafamento
o estilo
a falta
a habitação
o habitante
a largura
a medida
a opinião
o peão
a pobreza
a poluição
a profundidade
o projeto
a proposta
o ruído
o tema
o utilizador
o voto

acessível
chateado
elevado
gigante
ilegal
profundo

tecnicamente

Não há paciência!
Isto não presta!

UNIDADE 14

concordar
confirmar
iluminar
omitir
produzir
refletir

a alegria
o/a cientista
a cortiça
o/a especialista
a lenda
a limpeza
a localização
a maravilha
o modo
o motivo
o povo
a questão
a riqueza
o salão de beleza
a saudade
o sentimento
o significado
a tristeza

absoluto
cultural
exagerado
extraordinário
orgulhoso
sério
superior
vigésimo

realmente
graças a
portanto

Exatamente!
Isso mesmo!
Pelo contrário!

UNIDADE 15

adiar
construir
demolir
destruir
escolher
imaginar
interromper
inventar
realizar
recuperar
rodar
vigiar

a abertura
o balão
o encerramento
o explorador
o grito
o interior
a lã
a lâmpada
as lentes de contacto
a madeira
o material
o metal
a pastilha elástica
o papel higiénico
a pele
o plástico
o pneu
a porcelana
o prémio
a roda
o/a segurança
o tecido
o treino
o túnel
a vela
o vidro

abandonado
corajoso
financeiro
urbano

UNIDADE 16

assaltar
desaparecer
deter
enganar
estar deitado
estar em ordem
ir parar
mandar fazer algo
matar
meter(-se)
prender
prestar atenção

o/a agente
o assalto
o assassino
o/a camionista
o/a carteirista
o cidadão
a ciência
a constipação
o crime
o documento
o inspetor
o interrogatório
o ladrão
a lembrança
o morador
a ordem
a prisão
a quinta
o roubo
o telefonema

aflito
falso
inesperado
mentiroso
morto
preso

enquanto
à hora de...
fora de comum

Nem por isso!

PORTUGUÊS EM AÇÃO 4

cobrar
cobrir
pretender
o aluguer
o automóvel
o cartão de cidadão
o depósito

o risco
o seguro
a urgência
obrigatório
contra
em comparação com
em conta

ESCRITA 4

desesperado
desiludido
molhado

UNIDADE

17

NINGUÉM FICOU FERIDO

COMUNICAÇÃO
ler a previsão do tempo, falar sobre o clima, ler notícias sobre fenómenos naturais

VOCABULÁRIO
previsão do tempo, clima, fenómenos naturais

PRONÚNCIA
ligações vocálicas

GRAMÁTICA
conjunções temporais, voz passiva dos tempos compostos, particípio passado duplo

A. Olhe para os símbolos e complete a previsão do tempo com as palavras em falta.

Previsão do tempo para 4.ª feira, 11 de agosto de 2016

31 ºC/22 ºC

Céu l_____¹. Vento m_____² (30 km/h) de sul e sudeste. Temperatura m_____³: 31 ºC. Temperatura mínima: 22 ºC.

Previsão do tempo para sábado, 19 de novembro de 2016

14 ºC/9 ºC

Céu muito n_____⁴. Nas regiões do sul e do centro a_____⁵ fortes com possibilidade de t_____⁶. Vento f_____⁷ (50-80 km/h) de oeste. Pequena descida da temperatura.

Previsão do tempo para domingo, 4 de dezembro de 2016

  17 ºC/10 ºC

Céu com algumas n_____⁸. Possibilidade de p_____⁹ no norte do país a partir da tarde. Vento f_____¹⁰ (10 km/h). Pequena subida da temperatura.

B. Escreva...

AR junto aos nomes relacionados com **ar**,

FO junto aos nomes relacionados com **fogo**,

AG junto aos nomes relacionados com **água**.

1. cheias   AG
2. incêndio _____
3. furacão _____
4. precipitação _____
5. chama _____
6. onda _____
7. fumo _____
8. vento _____
9. tempestade _____

C. Complete as frases com os verbos da caixa na forma correta.

> causar   salvar   aproximar-se   arder
> esconder   aperceber-se   atingir
> tornar-se   lutar   ~~custar~~

1. Esta decisão pode *custar*-nos muito caro!
2. Vá-se embora! Não _____ de mim!
3. A D. Alzira não se lembra onde _____ o dinheiro.
4. É preciso _____ contra a fome e a pobreza.
5. Este bairro _____ um centro de diversão noturna.
6. No verão, há muitas coisas que podem _____ incêndios.
7. Infelizmente, alguns barcos não se conseguiram _____ da tempestade.
8. O João não _____ de que não estava sozinho em casa.
9. Esta parte da serra _____ no ano passado.
10. Durante a noite de ontem, um violento furacão _____ a costa leste dos EUA.

D. Reformule as frases substituindo *imediatamente depois de* pela expressão dada.

1. Telefonei para a Ana imediatamente depois de ler a notícia sobre o acidente. *(logo que)*

   Logo que li a notícia sobre o acidente, telefonei para a Ana.

2. Olhei para o relógio imediatamente depois de acordar. *(mal)*

   _____

   _____

3. A Ana começou a perder peso imediatamente depois de ficar doente. *(assim que)*

   _____

   _____

4. Os meus pais chamaram a polícia imediatamente depois de ver o ladrão. *(logo que)*

   _____

   _____

5. O Rui pagou a conta em atraso imediatamente depois de receber o aviso. *(mal)*

   _____

   _____

6. Marquei a consulta médica imediatamente depois de começar a sentir-me mal. *(logo que)*

   _____

   _____

7. Saímos imediatamente depois de a reunião acabar. *(assim que)*

   _____

   _____

E. Complete com as preposições/contrações em falta.

1. Uma árvore caiu *sobre* o nosso terraço.
2. Evitei um acidente _____ pouco.
3. A estrada está fechada devido _____ queda de uma árvore.
4. Pede à Cristina _____ limpar a escada.
5. Não fazia ideia _____ que a Ana tinha um bebé!
6. É preciso tomar medidas _____ o crime.

F. Complete com o verbo ou o nome em falta.

1. *avisar*   aviso
2. passar   _____
3. _____   causa
4. lutar   _____

5. _____   seca
6. errar   _____
7. _____   queda
8. medir   _____

G. Complete as frases com os verbos da caixa na forma correta do Particípio Passado. Use cada um dos verbos duas vezes.

aceitar	~~entregar~~	acender	imprimir
matar	morrer	prender	salvar

1. A Ana já tinha *entregado* o recibo quando recebeu o telefonema da divisão financeira.
2. A nova data da reunião não foi _____ pelo diretor.
3. Estava completamente sem dinheiro, mas fui _____ por uma amiga que me emprestou 100 euros.
4. Eu nunca tinha _____ nada nesta impressora.
5. Estou _____! Preciso de descansar.
6. Quando falaste com a D. Rosa, ela já tinha _____ ficar com o nosso cão por uns dias.
7. As faturas têm de ser _____ a cores e assinadas pelo diretor.
8. Esta carta tem de ser _____ ao destinatário ainda hoje.
9. Quando os bombeiros chegaram, os moradores já tinham _____ o cão que estava _____ no elevador.
10. O nosso cão foi _____ por um camião.
11. Ultimamente, este candeeiro não tem sido _____.
12. Este inverno, dezenas de pessoas têm _____ por causa das temperaturas muito baixas.
13. Quando ligaste as luzes, eu já tinha _____ uma vela.
14. Nos últimos tempos, os incêndios tem _____ muitos animais que habitam nas florestas.
15. A polícia nunca tinha _____ tantos carteiristas como no fim de semana passado.

H. Faça a correspondência entre as colunas.

1. regar	a. um ruído
2. ganhar	b. ferido
3. ouvir	c. medidas
4. fazer	d. uma queda
5. ficar	e. o jardim
6. tomar	f. o incêndio
7. sofrer	g. um prémio
8. apagar	h. ideia

(4. fazer → h. ideia)

COMUNICAÇÃO

falar sobre alimentos
e pratos,
dar uma receita de
culinária

VOCABULÁRIO

alimentos,
pratos,
gastronomia

FORMAÇÃO DE PALAVRAS

sufixo nominal
-ura

GRAMÁTICA

partícula
apassivante **se**,
ao + infinitivo,
superlativo + **possível**

A. Faça as palavras cruzadas.

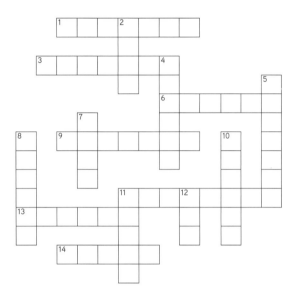

Horizontal:
1. Tipo de marisco.
3. Legume cor de laranja.
6. Os ingleses comem-no ao pequeno-almoço.
9. Camarão ou polvo.
11. Feito de carne.
13. Porco muito pequeno.
14. Tem oito braços.

Vertical:
2. Tipo de peixe.
4. Com folhas verdes.
5. Tipo de carne.
7. Tipo de fruta.
8. Legume que nos faz chorar.
10. Legume comprido e verde.
11. Chinesa, lombarda ou galega.
12. Para fazer vinho.

B. Termine as frases usando o superlativo + *possível*.

1. Temos de terminar o trabalho *o mais depressa possível*. *(depressa)*
2. Queria ter um telemóvel _____. *(simples)*
3. Preferia sair de Lisboa _____. *(cedo)*
4. O carro que tenho é _____. *(seguro)*

C. Complete as frases com o verbo e a partícula apassivante *se*.

1. Na Suíça, *come-se* muito queijo. *(comer)*
2. Aqui, _____ fotocópias. *(fazer)*
3. Na Rússia, não _____ azeite. *(produzir)*
4. Nesta cidade _____ muitos prédios. *(construir)*
5. Em português, a letra *x* _____ de quatro maneiras diferentes. *(pronunciar)*
6. Nesta loja não _____ cheques. *(aceitar)*
7. Não _____ trocas de roupa interior. *(fazer)*
8. Esta salada _____ com sal e azeite. *(temperar)*

D. Complete com a preposição/contração/artigo em falta.

1. Este peixe não sabe *a* nada.
2. Este bolo faz-se _____ instante.
3. Este prato não é nada fácil _____ fazer.
4. Corta a batata _____ cubos.
5. Quanto _____ Ana, ela não gosta de vinho!
6. Deves fritar a cebola _____ manteiga.
7. Em Portugal, não se bebe café _____ refeições.
8. Põe a massa em água _____ ferver.
9. Este peixe está _____ delícia!
10. Temperaste a sopa _____ sal?

E. Complete as frases com os verbos da caixa na forma do Infinitivo.

> ~~picar~~ cortar deitar ferver levar
> faltar regar ralar fritar

1. Pedi-te para picar a cebola bem fina!
2. Numa casa portuguesa, não pode _____ azeite.
3. Comece por _____ o pepino em rodelas.
4. João, não te importas de _____ um bocado de queijo para mim?
5. Vamos _____ a cebola em óleo ou em azeite?
6. Ponha o peixe em água a _____.
7. Podes _____ esta sopa fora. Já não está boa.
8. Gosto de _____ a minha salada com um fio de azeite.
9. Esta salada deve _____ poucos ingredientes.

F. Faça frases usando *ao* + Infinitivo.

1. viajar pelo mundo / fazer muitos amigos *(eu)*
   Ao viajar pelo mundo, fiz muitos amigos.
2. atravessar a estrada / cair *(o Rui)*
   _____
3. acordar / abrir as cortinas *(eu)*
   _____
4. ouvir a música / começar a dançar *(a Sara)*
   _____
5. voltar para casa / encontrar a Joana *(eu)*
   _____
6. aterrar / começar a deitar fumo *(o avião)*
   _____

G. Complete as frases com a palavra certa.

1. Não devo comer queijos *gordos*.
   a. crus   (b.) gordos   c. malpassados
2. Tens certeza de que esta sopa não está _____?
   a. rija   b. estragada   c. fina
3. O senhor deseja a carne _____?
   a. madura   b. dura   c. bem passada
4. Esta maçã está muito _____.
   a. crua   b. grossa   c. madura
5. Cheira a leite _____. O que será?
   a. queimado   b. gordo   c. picado
6. Porque é que não compraste carne _____?
   a. picada   b. ralada   c. cortada
7. Corta o tomate em cubos bem _____.
   a. finos   b. raros   c. temperados

H. Leia a receita e ponha os parágrafos em ordem.

> **SOPA DE CEBOLA**
> Ingredientes:
> 4 cebolas médias;
> 2 colheres de sopa de manteiga;
> meio copo de vinho branco;
> 1 colher de sopa de farinha;
> 1 copo de caldo de legumes;
> 1 chávena de *croûtons* caseiros (pão frito cortado em cubos);
> 1 chávena de queijo ralado;
> sal e pimenta.

☐ a. Junte o vinho e misture com as cebolas. Deixe-as cozinhar durante uns 10 minutos.

☐ b. Aqueça o forno a 200 ºC. Coloque os *croûtons* numa tigela resistente a altas temperaturas. Ponha a sopa em cima dos *croûtons*.

☐ c. Acrescente-as à manteiga e frite em lume médio até ficarem bem douradas.

☐ d. Tire a sopa do forno e sirva imediatamente. Sabe melhor enquanto está quente.

☐ e. Acrescente a farinha e o caldo. Coza tudo durante mais 10 minutos, mexendo com frequência. Antes de tirar a sopa do lume, tempere com sal e pimenta.

☐ f. Coloque a manteiga numa panela. Corte as cebolas em rodelas bem grossas.

☐ g. Coloque o queijo ralado em cima da sopa. Ponha tudo no forno durante uns 15 minutos. Não deixe o queijo ficar queimado.

COMUNICAÇÃO

falar sobre animais de estimação, descrever o carácter, falar sobre espaços de lazer

VOCABULÁRIO

animais domésticos e de estimação, adjetivos de personalidade, gostos e hábitos

PRONÚNCIA

hiatos e ditongos

GRAMÁTICA

gerúndio, uso de **tanto**, uso de **tal**

A. Que animais são estes? Escreva.

1. _____

2. _____

3. _____

4. _____

5. _____

6. _____

7. _____

8. _____

B. Complete as frases com os adjetivos da caixa na forma correta.

> reservado   desconfiado   fiel   sensível
> convencido   vaidoso   elegante   meigo
> modesto   ~~invejoso~~   esperto

1. Uma pessoa *invejosa* tem inveja dos outros.
2. Uma pessoa _____ acha-se melhor do que os outros.
3. Uma pessoa _____ é inteligente e rápida a pensar.
4. Uma pessoa _____ não confia nos outros.
5. Uma pessoa _____ tem estilo e sabe vestir-se.
6. Uma pessoa _____ não faz amigos facilmente.
7. Uma pessoa _____ passa muito tempo em frente ao espelho.
8. Uma pessoa _____ é simples e moderada.
9. Uma pessoa _____ chora facilmente.
10. Uma pessoa _____ é uma pessoa em quem se pode confiar.
11. Uma pessoa _____ é delicada e sensível.

C. Complete com as preposições/contrações em falta.

1. Gosto de fazer festas *ao* meu gato.
2. Não me veio _____ cabeça que podias estar em casa hoje.
3. Aquela rapariga sorriu _____ mim.
4. Esta moda espalhou-se _____ toda a Europa.
5. A minha mulher adora bacalhau. Eu, _____ contrário, detesto.
6. _____ contrário de ti, não como coelho.
7. Isso é mais _____ que óbvio!
8. Tu não ligas nada _____ que eu digo!
9. Desculpe, não reparei _____ si!
10. A Júlia é conhecida _____ gostar de doces.

D. Escreva a forma do gerúndio.

1. falar — *falando*
2. desistir _____
3. pentear _____
4. cair _____
5. haver _____
6. incluir _____
7. mexer _____
8. adiar _____
9. morrer _____
10. ir _____

E. Faça frases colocando o primeiro verbo no gerúndio e o segundo no tempo linguístico indicado. Acrescente os artigos e as preposições. Faça todas as outras alterações necessárias. Não mude a ordem das palavras.

1. levar / chapéu / você / não / apanhar / chuva *(Futuro Simples)*
   Levando o chapéu, você não apanhará chuva.
2. chumbar / exame / Rui / ter / repetir / curso *(Futuro Simples)*
   _____

3. ver / conta / Inês / ficar / chocado *(P.P.S.)*
   _____

4. continuar / comer / tanto / doces / Ana / nunca / / perder / peso *(Futuro Simples)*
   _____

5. mudar-se / campo / cidade / Alfredo / deixar / ter / / contacto / natureza *(P.P.S.)*
   _____

6. querer / devolver / este / artigo / senhor / / precisar / trazer / talão / compra *(Futuro Simples)*
   _____

7. apanhar / sol / Nuno / ficar / menos / pálido *(P.P.S.)*
   _____

8. virar / esquerda / motorista / evitar / acidente *(P.P.S.)*
   _____

F. Transforme as frases do exercício E alterando o gerúndio para a expressão/estrutura dada. Faça todas as outras alterações necessárias.

1. *(ao)*
   Ao levar o chapéu, você não apanhará chuva.
2. *(no caso de)*
   _____
   _____
3. *(quando)*
   _____
   _____
4. *(no caso de)*
   _____
   _____
5. *(depois)*
   _____
   _____
6. *(no caso de)*
   _____
   _____
7. *(como)*
   _____
   _____
8. *(ao)*
   _____
   _____

G. Transforme ou junte as frases usando a palavra dada.

1. O meu cão é esperto. O teu também. *(tanto)*
   Tanto o meu cão como o teu são espertos.
2. A mãe da Ana tem quase sessenta anos. *(tal)*
   _____
3. Ontem, doeu-me a cabeça. Hoje, dói-me também, mas menos. *(tanto)*
   _____
4. Nunca vi um cão assim. Qual é a raça? *(tal)*
   _____
5. Não consigo falar porque corri muito. *(tanto)*
   _____
6. O que é que achas da ideia de alugarmos um carro? *(tal)*
   _____
7. Eu tenho dois filhos. Tu também tens dois filhos. *(tal)*
   _____
8. Tu gostas de conduzir rápido. Mas eu não. *(tão)*

HAVEMOS DE SALVAR ESTA ESPÉCIE

COMUNICAÇÃO

falar sobre a proteção da natureza, descrever animais

VOCABULÁRIO

animais selvagens, proteção da natureza, ambiente

FORMAÇÃO DE PALAVRAS

prefixo **des-**

GRAMÁTICA

pronome relativo variável **cujo**, pronome relativo variável **o qual**, uso de **cada**

A. Faça as palavras cruzadas.

Horizontal:

2. Uma ave que vive nas cidades.
4. Tem o pescoço muito comprido.
6. Apanha moscas.
8. O rei dos animais.
10. Uma ave que gosta de comer peixe.
12. Parecido com o cão.
14. Um inseto de que ninguém gosta.

Vertical:

1. Vive em África e na Ásia e tem uma tromba.
3. Um inseto com as asas muito bonitas.
5. Uma ave tropical.
7. Um animal muito inteligente que vive no mar.
9. Uma ave que não sabe voar.
11. O maior animal do mundo.
13. Um animal fofo, mas perigoso.

B. Complete as frases com *voar* ou *magoar* na forma correta.

1. As palavras que dizes magoam-me muito!
2. Ontem, um pássaro _____ para dentro da nossa casa.
3. Ontem, _____-me na perna. *(eu)*
4. O avião da TAP _____ a uma altitude muito baixa quando o vi.
5. Deitei aqueles sapatos fora porque eram tão desconfortáveis que me _____ os pés.

C. Complete com os verbos da caixa na forma correta.

caçar   criar   magoar-se
atropelar   voar   ~~salvar~~

1. Há espécies de animais que temos de salvar.
2. A Tânia tem medo de _____, por isso viaja sempre de comboio.
3. Em Portugal, _____-se coelhos.
4. O colega do Jorge foi _____ por um carro.
5. A Ana _____ a empresa em que trabalha.
6. O Rui _____ quando estava a cortar pão.

D. Complete as letras que faltam nas palavras.

1. O leão é um animal selvagem.
2. As p_ _ _ _ são os pés dos animais.
3. O p_ _ _ do panda é preto e branco.
4. As vacas açorianas são pretas com m_ _ _ _ _ _ brancas.
5. Este edifício está em r_ _ _ _ de ser demolido.
6. Os i_ _ _ _ _ _ têm 6 pernas.
7. Em Portugal, só vive uma e_ _ _ _ _ _ _ de lince.
8. Uma ave pequena é um p_ _ _ _ _ _.
9. Todos os insetos me metem n_ _ _. Detesto-os!

E. Faça frases com as palavras dadas.

1. ter / precisa / acesso / aluno / Internet / cada / / à / de

   Cada aluno precisa de ter acesso à Internet.

2. cadeiras / duzentos / uma / custa / destas / / euros / cada

   _____

3. trabalhar / um / mais / de / vai / cada / hora / / vocês / uma

   _____

4. menos / transportes / vez / uso / cada / os / / públicos

   _____

5. vens / prenda / que / uma / cada / a / vez / casa / / trazes / minha

   _____

6. mais / cidade / cada / perigosa / a / está / ficar / / vez / esta

   _____

F. Junte as frases usando *cujo*. Faça as alterações necessárias.

1. O homem está a pagar a conta. A bicicleta dele está em frente do café.

   O homem, cuja bicicleta está em frente do café, está a pagar a conta.

2. O nosso filho é amigo de um rapaz. O pai dele é o diretor da escola.

   _____

3. Ajudei uma rapariga. O carro dela avariou na autoestrada.

   _____

4. A mulher chamou a polícia. A casa dela foi assaltada.

   _____

5. Encontrei o telemóvel de uma senhora. Ela deve ser estrangeira.

   _____

6. Tive uma discussão com uma vizinha. O cão dela sujou a escada.

   _____

7. A aluna é coreana. O sotaque dela é difícil de compreender.

   _____

G. Junte as frases usando *o qual* na forma correta. Faça as alterações necessárias.

1. Vamos reunir-nos com um colega. Ele é mexicano.

   O colega com o qual nos vamos reunir é mexicano.

2. O bolo de bolacha é uma sobremesa. Gosto muito dele.

   _____

3. Levei o meu cão ao veterinário. Conheço-o bem.

   _____

4. Temos de tratar de um assunto. É urgentíssimo!

   _____

5. Você quer entregar a carta a um senhor. Ele já não mora aqui.

   _____

6. Eu estava a tomar conta de um gato. Ele fugiu.

   _____

7. O empregado está a servir um café a uma mulher. Ela é atriz.

   _____

8. Chumbei num exame. Era muito difícil.

   _____

9. O passaporte é um documento. Não posso viajar sem ele.

   _____

H. Alguma vez teve uma experiência interessante ou uma aventura com um animal selvagem? O que aconteceu exatamente? Escreva.

   _____
   _____
   _____
   _____
   _____
   _____
   _____
   _____
   _____
   _____
   _____

NO METRO

A. Corrija os erros nas frases.

1. Ө rede de metro em Lisboa tem 4 linhas. _A_
2. Ana, tu tens a passe para o metro? _____
3. O documento é feito à hora. _____
4. É preciso de preencher este formulário. _____
5. Preciso levantar dinheiro num multibanco. _____
6. Temos de fazer isto. Qual remédio! _____
7. Servimos o almoço a partir às 11h. _____

B. Complete as letras que faltam nas palavras.

1. Quando é que posso _levantar_ o cartão?
2. A e_ _ _ _ _ _ _ do passe custa 7 euros.
3. O senhor tem de me e_ _ _ _ _ _ _ a sua fotografia e o cartão de cidadão.
4. Nos dias ú_ _ _ _ esta loja fecha às 20h.
5. Este parque é e_ _ _ _ _ _ _ _ _ para os residentes.
6. O senhor pode u_ _ _ _ _ _ _ _ este cartão a partir de amanhã.
7. O passe tem de ser c_ _ _ _ _ _ _ _ semanalmente.

2467838178

Lisboa **VIVa**

OPERADORES DE TRANSPORTES
www.portalviva.pt

VOCABULÁRIO QUE DEVE SABER USAR:

UNIDADE 17

aperceber-se (de)
aproximar-se (de)
arder
atingir
causar
esconder(-se)
fazer ideia (de)
lutar
medir
salvar
tornar-se

os aguaceiros
o bombeiro
a chama
a cheia
o farol
o fenómeno
o fogo
o fotógrafo
o furacão
o helicóptero
o incêndio
a medida
a onda
a passagem
a precipitação
a queda
a seca
a tempestade
o terramoto
a vítima

ferido
máximo
moderado
natural
nublado

atualmente
Assim que...
Logo que...
Mal...
por pouco

UNIDADE 18

acompanhar
acrescentar
consumir
cortar
cozer
deitar fora
ferver
fritar
juntar
picar
ralar
temperar

a alface
o atum
o borrego
o camarão
a categoria
a cebola
a cenoura
o chouriço
o cogumelo
o concurso
a couve
o fruto
a gastronomia
a gordura
o instante
o leitão
a loucura
o lume
a maçã
o marisco
a massa
as natas
o óleo
o pepino
a pimenta
a rodela
a uva

bem passado
cru
estragado
fino
grosso
louco
maduro
malpassado
picado
presente
queimado
rijo

num instante
quanto a

Está uma delícia!

UNIDADE 19

brincar
espalhar-se (por)
fazer festas
ligar (a)
manter a linha
relaxar
vir à cabeça

o boi
a cabra
a característica
o cavalo
o coelho
o convívio
o dragão
o galo
a gargalhada
o horóscopo
o macaco
a personalidade
o porco
o rato
a semelhança
a serpente
o signo
o tigre

agressivo
convencido
delicado
desconfiado
elegante
esperto
excêntrico
fiel
fofo
grisalho
independente
invejoso
meigo
modesto
óbvio
reservado
sensível
sensual
vaidoso

tal
tanto... como...

UNIDADE 20

atropelar
baixar
caçar
criar
desarrumar
desconhecer
magoar-se
voar

a aranha
a baleia
a borboleta
o elefante
a espécie
a gaivota
o golfinho
o grupo
o idoso
o inseto
o leão
o lince
o lobo
a mancha
a mosca
o nojo
o pássaro
a pata
o pelo
o perigo
o pinguim
o pombo

doméstico
ibérico
raro
selvagem

cada
cujo
em risco de

PORTUGUÊS EM AÇÃO 5

fazer na hora
utilizar
o dia útil
a opção
o passe
o talão
exclusivo
mensalmente
Que remédio!

ESCRITA 5

estar-se nas tintas (para)
fundar
a alcunha
o contraste
a descrição
o entretenimento
as estatísticas
o inferno
aborrecido
colorido
industrial
de acordo com
de gema

UNIDADE **21**

GOSTARIA DE SABER PINTAR

COMUNICAÇÃO

falar sobre arte
e cultura,
contar experiências

VOCABULÁRIO

arte,
museus,
experiências culturais,
verbos de movimento

PRONÚNCIA

palavras parónimas

GRAMÁTICA

condicional

A. Escreva as formas verbais do Imperfeito do Indicativo no Condicional.

1. falava   *falaria*
2. traduzias   _____
3. havia   _____
4. arranjavam   _____
5. dizíamos   _____
6. achava   _____
7. mexiam   _____
8. mudávamos   _____
9. trazia   _____
10. iam   _____
11. fazias   _____
12. punha   _____

B. Em que frases abaixo podemos substituir o Imperfeito pelo Condicional sem mudar o significado? Reescreva essas frases usando o Condicional.

1. Eu nunca vendia esta casa!
   Eu nunca venderia esta casa!
2. Gostava de apresentar-te a minha irmã.
   _____
3. Não fazia ideia de que tinhas comprado um carro novo!
   _____
4. Comprava este casaco, mas estou sem dinheiro.
   _____
5. Quando vivia nos Açores, comia muita carne.
   _____
6. Era muito interessante saber onde ela está agora.
   _____
7. Podias ajudar-me a pôr estas cadeiras no carro?
   _____
8. Não devias falar dessa maneira!
   _____
9. Eram oito horas quando acordei.
   _____
10. Adorava fazer uma viagem aos Açores!
    _____

C. Faça a correspondência entre o museu e a descrição.

Museu dos Transportes   Museu do Fado

Museu de Arte Moderna

Museu das Notícias   Museu da Música

1. _____
Este museu tem uma coleção de mais de mil instrumentos dos séculos XIX e XX. A peça mais valiosa do museu é um piano que o grande compositor húngaro Franz Liszt trouxe de França em 1845.

2. _____
A coleção deste museu reúne os artistas portugueses mais importantes do século XX até à atualidade. Inclui também obras de alguns pintores e escultores estrangeiros, sobretudo britânicos e franceses.

3. _____
É um museu dedicado aos média e à comunicação. Apresenta a história do jornalismo português desde o seu início até à atualidade. Os visitantes podem ler artigos dos jornais que lhes lembram vários episódios da história de Portugal e do mundo.

4. _____
Este museu conduz o visitante a uma viagem no tempo, através de documentos e objetos raros, relacionados com os autocarros e os elétricos da cidade de Lisboa.

5. _____
O museu permite ao visitante conhecer a vida e a obra dos maiores fadistas portugueses. Em exposição, o visitante poderá também encontrar vários objetos de valor artístico ligados à canção de Lisboa.

D. Complete as frases com os verbos da caixa na forma correta do P.P.S. ou do Infinitivo.

---
pisar / entornar / deixar cair / ~~tropeçar~~
espalhar-se / bater / escorregar / partir-se

---

1. A Alice *tropeçou* num livro que o filho dela deixou no chão.
2. O Nuno _____ o café em cima do seu portátil.
3. O Rui _____ num carro estacionado na rua quando estava a andar olhando para o telemóvel.
4. Depois da chuva, é muito fácil _____ na calçada portuguesa.
5. A garrafa caiu, _____ toda e _____ pelo chão.
6. O Jorge magoou-se no ginásio porque _____ um peso em cima do pé.
7. Quando a Cátia dançava com o Luís, ele _____ os pés dela várias vezes.

E. Faça frases com as palavras dadas.

1. muito / vai / este / renovado / em / prédio / breve / / ser
   Este prédio vai ser renovado muito em breve.
2. conta / eu / zero / mal / estava / sabia / minha / / a / que / bancária / a
   _____!
3. todas / não / dás / as / me / mereço / que / / prendas
   _____!
4. filme / que / parte / passado / este / no / faz / / estreou / de / uma / ano / série
   _____
5. não / nada / te / lamento / em / ajudar / muito / / mas / posso
   _____
6. ao / me / fuma / incomoda / alguém / meu / / muito / lado / quando
   _____
7. vaso / felizmente / cair / partiu / mas / deixei / / não / um / se
   _____
8. fechar / esta / vem / vai / semana / exposição / / que / na
   _____
9. obras / de / algumas / de / moderna / difíceis / / arte / compreender / são
   _____

F. Complete as letras que faltam nas palavras.

1. Quando alguém tem jeito para fazer algo, dizemos que tem *talento*.
2. A primeira apresentação pública de um filme, espetáculo, peça de teatro, etc. é a e_ _ _ _ _ _ _.
3. Quando pomos todas as forças para atingir um objetivo, fazemos muito e_ _ _ _ _ _ _.
4. Quando alguma coisa nos faz sentir mal, i_ _ _ _ _ _ _ _ -nos.
5. Uma pessoa agressiva é uma pessoa v_ _ _ _ _ _ _.
6. Quando algo nos é i_ _ _ _ _ _ _ _ _ _ _, não temos nenhumas emoções.
7. O gótico ou o barroco são e_ _ _ _ _ _ _ arquitetónicos.
8. Um sonho que nos faz sentir medo é um p_ _ _ _ _ _ _.
9. Quando não levamos alguém a sério, estamos a g_ _ _ _ _ com essa pessoa.
10. Para fazer uma pintura, precisamos de t_ _ _ _ _ de várias cores.
11. Quando não conseguimos ouvir a diferença entre dois sons, não sabemos d_ _ _ _ _ _ _ _ _ -los.
12. Um elemento menos importante ou mais pequeno de algo é um p_ _ _ _ _ _ _ _.
13. Num museu, há pinturas e e_ _ _ _ _ _ _ _ _ _.
14. Uma pessoa conhecida que aparece na televisão e nas revistas é uma c_ _ _ _ _ _ _ _ _ _ _.
15. Um texto escrito num jornal ou numa revista é um a_ _ _ _ _ _.
16. A pintura que mostra uma pessoa é um r_ _ _ _ _ _ _.
17. Os a_ _ _ _ _ _ _ _ _ _ são usados para apertar ténis, sapatos e botas.
18. O quarto tem paredes, chão e t_ _ _ _.

G. Complete com o verbo ou o nome correspondente.

1. *pintar* — pintura
2. valer — _____
3. _____ — estreia
4. mentir — _____
5. _____ — voo
6. instalar — _____
7. _____ — engano
8. limpar — _____

UNIDADE 22

LEIO, LOGO EXISTO

COMUNICAÇÃO
descrever lugares, falar sobre os hábitos de leitura

VOCABULÁRIO
livros

FORMAÇÃO DE PALAVRAS
sufixo nominal
-ança/-ença

GRAMÁTICA
contração pronominal

A. Complete as frases com o verbo sublinhado na forma correta e a contração pronominal.

1. A: João, vais <u>fazer</u>-me um café?
   B: Já *to fiz*. Está em cima da mesa.

2. A: Ana, já <u>enviaste</u> o *e-mail* ao Rui?
   B: Não, ainda não _____, porque estou sem Internet.

3. A: Porque é que me <u>recomendaste</u> esta praia?
   B: _____ porque fica perto do hotel em que estás.

4. A: É mesmo verdade que te <u>roubaram</u> as malas?
   B: Sim. _____ no metro.

5. A: Já te <u>mostrei</u> o meu novo casaco?
   B: Não. Não _____.

6. A: Vais <u>vender</u> a tua bicicleta? O Jorge é capaz de querer comprá-la.
   B: Eu sei. Mas ele pensa que vou _____ a metade do preço. Está muito enganado!

B. Complete com os verbos da caixa na forma correta do Infinitivo, do Presente ou do P.P.S.

servir   reconhecer   tratar-se   mexer   prender   descontrair   ~~pendurar~~

1. Podes *pendurar* os quadros nas paredes?
2. O senhor sabe dizer-me se este documento _____ de fatura?
3. Ontem, vi o João na rua. Estava tão diferente que quase não o _____!
4. Jogar no computador ajuda-me a _____ depois de um longo dia de trabalho.
5. Ninguém levou a mala do senhor de propósito. _____, simplesmente, de um engano.
6. O filme que vi ontem _____ muito comigo.
7. Este livro conseguiu _____-me a atenção.

C. Complete as definições com as palavras.

1. Um conjunto de episódios é uma *série*.
2. Uma igreja ou uma mesquita é um t_ _ _ _ _.
3. Um a_ _ _ _ _ _ serve para guardar coisas.
4. Num teatro, o público está sentado no balcão ou na p_ _ _ _ _ _.
5. As aves podem voar porque têm a_ _ _.
6. A p_ _ _ _ _ _ _ _ _ é um papel representado por um ator.
7. Um c_ _ _ _ _ _ _ é uma parte de um livro.
8. No teatro, os atores estão no p_ _ _ _.
9. O título do livro está escrito na c_ _ _.
10. Antes de entrarmos numa loja, podemos ver a m_ _ _ _ _.
11. As m_ _ _ _ _ _ _ são as nossas lembranças.
12. Uma pessoa que dificilmente fica satisfeita é uma pessoa e_ _ _ _ _ _ _.
13. Ter e_ _ _ _ _ _ _ _ é acreditar que algo muito desejado vai acontecer.

D. Escreva sobre o livro mais importante da sua vida.

_____
_____
_____
_____
_____
_____
_____
_____
_____
_____
_____
_____
_____
_____

E. Conhece estes livros? Que géneros são? Termine as frases.

❶  ❷  ❸  ❹  ❺  ❻

1. *O Diário de Anne Frank é uma* biografia.

2. *A Guerra dos Mundos* _____.

3. *O Nome da Rosa* _____.

4. *O Grande Bazar Ferroviário* _____.

5. *O Falcão de Malta* _____.

6. *O Amor nos Tempos de Cólera* _____.

F. Faça a correspondência entre as descrições de quatro romances e os seus títulos. A seguir, responda às perguntas abaixo.

| Procura-se Jardineiro | A Despedida | O Silêncio das Ondas | Confia em Mim |

1. _____

Um dia, Daniel, um jovem empresário, recebe um telefonema do pai a informar que a mãe foi internada num hospital psiquiátrico. Preocupado, Daniel sai de casa a correr para ver o que se passa. Mas, logo depois, recebe um telefonema da mãe que lhe diz não ser louca e que ele não deve acreditar em nada do que o pai diz, deixando Daniel confuso...
Uma história em que nada é como parece ser, cheia de mentiras e segredos que escondem um crime terrível.

2. _____

Perdida no meio da serra algarvia, há uma casa abandonada. É para lá que se muda Sylvia, uma inglesa da classe média, que quer fugir do seu passado e ter uma vida nova. Está sozinha e quer continuar assim. Esta casa nova está rodeada de árvores de fruto e Sylvia decide contratar um imigrante ucraniano para tratar delas. Os dois parecem não ter nada a ver um com o outro...
Um romance que mostra que o amor pode nascer onde e quando ninguém espera.

3. _____

Ana é uma jovem igual a todas as outras até um dia a morte bater à sua porta. O suicídio do irmão muda tudo. Ana quer seguir com a vida, mas há um segredo que não lhe permite esquecer o que aconteceu: na noite do suicídio, o seu irmão Ricardo escreveu-lhe uma mensagem. Contudo, Ana não consegue guardar esse segredo só para si...
Este livro é uma história triste mas, ao mesmo tempo, linda, sobre o amor e a perda dos que amamos.

4. _____

Um iate de luxo parte do porto de Lisboa para as águas geladas do Atlântico do Norte. A bordo seguem seis amigos que esperam chegar à cidade de Bergen, na costa da Noruega, duas semanas mais tarde. Contudo, quando o iate entra no porto norueguês, não se encontra ninguém a bordo. O inspetor Lars Gjemble inicia a investigação. O que é que se passou no meio do Atlântico?
Um policial que fascina tanto que tem de ser lido de uma vez.

Que livro...

a. ... é que nos pode fazer chorar? _____

b. ... trata de relações familiares? ___ e ___

c. ... trata de um possível problema de saúde? _____

d. ... leva o leitor para um lugar isolado? ___ e ___

e. ... trata de pessoas muito diferentes? _____

f. ... deve ser lido rapidamente? _____

O AMOR E AS PIPOCAS

COMUNICAÇÃO	VOCABULÁRIO	PRONÚNCIA	GRAMÁTICA
relatar factos, falar sobre filmes	filmes, cinema	letra **e**	discurso indireto

A. Faça frases no discurso indireto. Use o verbo indicado.

1. Ana: "Vou estar à espera do meu marido aqui." *(dizer)*
   A Ana disse que ia estar à espera do marido dela ali.

2. Luís: "Vou devolver todo o dinheiro no próximo mês." *(prometer)*

3. Dr. Saraiva: "Os cidadãos não aceitarão a proposta da Câmara." *(avisar)*

4. Célia: "Não sei como explicar o que aconteceu ontem." *(confessar)*

5. O guia: "Este edifício foi construído há 50 anos." *(explicar)*

6. Cátia: "Porque é que o diretor interrompeu a reunião?" *(perguntar)*

7. Francisco: "Era melhor adiar o encontro com o Sr. Santos." *(dizer)*

8. Mafalda: "Não reconheço esta voz." *(dizer)*

9. Maria: "Quando é que o João pintou a casa? *(perguntar)*

10. Dono do restaurante: "Os cozinheiros têm de ser mais rápidos." *(dizer)*

11. Tiago: "Este não é o prato que eu pedi!" *(gritar)*

12. Sofia: "O meu gato gosta quando lhe fazem festas." *(dizer)*

13. Funcionário: "O avião de Londres vai chegar duas horas atrasado." *(anunciar)*

14. Alice: "As manchas nesta camisa não desapareceram por completo." *(dizer)*

B. Escreva os géneros cinematográficos destes filmes.

1. *A Última Caminhada*
   é um drama.

2. *Doidos à Solta*

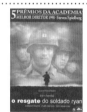

3. *O Resgate do Soldado Ryan*

4. *Missão Impossível*

5. *Piratas das Caraíbas*

6. *O Silêncio dos Inocentes*

C. Complete as frases com os verbos da caixa na forma correta do Presente, Imperativo ou Particípio Passado.

prometer suspeitar basear-se
fingir ~~estar~~ desconhecer rodar

1. Que filmes *estão* em cartaz este fim de semana?
2. Não _____ que não sabes que estou aqui!
3. Este filme foi _____ no Brasil.
4. Dizem que esta atriz é muito famosa, mas eu _____-a por completo.
5. A polícia _____ de que no aeroporto há uma bomba.
6. Nuno, _____ que nunca mais vais deixar o teu quarto desarrumado!
7. Este filme _____ num romance de um escritor português.

D. Complete as letras que faltam nas palavras.

1. Um r*ealizador* é uma pessoa que faz filmes.
2. Nos filmes, os atores têm papéis secundários e papéis p_ _ _ _ _ _ _ _ _ _.
3. Os e_ _ _ _ _ _ _ _ _ _ _ _ são pessoas que estão a ver um espetáculo.
4. No cinema, normalmente, as pessoas gostam de comer p_ _ _ _ _ _ _.
5. A b_ _ _ _ _ s_ _ _ _ _ é a música que aparece num filme.
6. A l_ _ _ _ _ _ _ é o texto que acompanha as imagens do filme.

E. Escreva sobre os seus gostos cinematográficos. Que filmes prefere? De que género de filmes é que não gosta? Porquê?

_____
_____
_____
_____
_____
_____
_____
_____
_____
_____
_____

F. Leia a biografia do ator português Nuno Lopes. A seguir, leia as frases abaixo. São verdadeiras (V), falsas (F) ou a informação não consta no texto (NC)? Responda.

Nuno Miguel Pereira Lopes nasceu a 6 de maio de 1978, em Lisboa. É um dos melhores atores portugueses da nova geração.

A sua carreira começou em 1997, na televisão, onde participou, com sucesso, em vários programas e séries de humor. Logo depois, começou a trabalhar nas telenovelas, primeiro em Portugal, depois também no Brasil. O público brasileiro conheceu o seu talento graças ao seu papel na telenovela *Esperança*.

Desde muito cedo que Nuno Lopes mostrou interesse pelo teatro. A sua experiência inclui peças de Bertold Brecht, William Shakespeare e August Strindberg.

A sua carreira no cinema começou em 2003 com um pequeno papel no filme *Quaresma*. O primeiro êxito chegou dois anos mais tarde com o filme *Alice*, em que desempenhou o papel de um pai desesperado cuja filha de três anos um dia desaparece. Depois seguiram-se outras participações em produções cinematográficas portuguesas.

Apesar de a sua carreira ser ainda relativamente curta, Nuno Lopes já foi premiado tanto em Portugal como no estrangeiro. O prémio de que se orgulha mais é o Prémio *Orizzonti* para Melhor Ator, que recebeu no Festival de Cinema de Veneza, em 2016, pelo seu papel no filme português *São Jorge*.

1. Desde muito cedo que Nuno Lopes mostrou que tem talento para a comédia. `V` `F` `NC`

2. Nuno Lopes trabalhou também fora de Portugal. `V` `F` `NC`

3. Antes de trabalhar em televisão, Nuno Lopes trabalhou no teatro. `V` `F` `NC`

4. A participação de Nuno Lopes no filme *Quaresma* foi um grande sucesso. `V` `F` `NC`

5. A personagem do filme *Alice* não encontra a filha. `V` `F` `NC`

6. *Orizzonti* é o único prémio que Nuno Lopes recebeu no estrangeiro. `V` `F` `NC`

FIQUEI A VER O NOTICIÁRIO

COMUNICAÇÃO
falar sobre imprensa, falar sobre programas de televisão

VOCABULÁRIO
televisão, imprensa

FORMAÇÃO DE PALAVRAS
sufixo nominal **-agem**

GRAMÁTICA
a + infinitivo

A. Faça frases usando *a* + Infinitivo. Acrescente os artigos, os pronomes, as preposições e faça todas as outras alterações necessárias. Não mude a ordem das palavras.

1. depois / divórcio / Diogo / passar / jantar / fora / / sozinho
   Depois do divórcio, o Diogo passou a jantar fora sozinho.

2. eu / nunca / chegar / enviar / carta / escrever / / Luís
   _____

3. repente / Paulo / ouvir / carro / apitar
   _____

4. Ana / estudar / esta / universidade / mas / nunca / / chegar / terminar / curso
   _____

5. Elsa / passar / pôr / todo / fotografia / ela / / Internet
   _____

6. Rui / chegar / devolver / dinheiro / dever / Ricardo
   _____?

7. ontem / Marco / passar / todo / dia / tratar / / correspondência
   _____

8. este / vídeo / ver / se / alguém / assaltar / carro
   _____

B. Faça frases com as palavras dadas.

1. que / ontem / tempo / a / disseste / pensar / / muito / fiquei / no
   Fiquei a pensar muito tempo no que disseste ontem.

2. filho / a / o / escola / fumar / teu / apanhado / / foi / na
   _____

3. magoou / andar / Rafael / a / bicicleta / o / de / se
   _____

4. a / no / Nuno / pensar / português / o / exame / / acordou / de
   _____

C. Complete com as palavras em falta.

1. Um *artigo* é um texto publicado num jornal.

2. Um jornal que sai todos os dias é um _____.

3. Um jornal que sai uma vez por semana é um _____.

4. Um jornal sem qualidade, que publica notícias em que não se deve acreditar, é um _____.

5. A _____ são meios de comunicação publicados em forma de jornais e revistas.

6. As revistas _____ publicam muitas fotografias e artigos sobre a vida de gente rica e famosa.

D. Complete as letras que faltam nas palavras.

1. Gosto imenso deste filme. É, simplesmente, b**rilhante**.

2. Adorei o filme de ontem. Ri muito e também chorei. Foi muito e_ _ _ _ _ _ _ _ _ _ _.

3. O filme que vi ontem foi tão mau que me apetecia rir. Foi mesmo r_ _ _ _ _ _ _ _.

4. Vai ver este filme e prepara-te para muitas gargalhadas! É h_ _ _ _ _ _ _ _ _ _!

5. Quase adormeci no cinema. O filme que fui ver foi uma grande c_ _ _ _ _ _ _.

6. Este filme não tem qualidade nenhuma. É uma p_ _ _ _ _ _ _.

7. Este filme é muito triste. Fiquei d_ _ _ _ _ _ _ _ _ depois de vê-lo.

8. Este filme não faz sentido nenhum. É mesmo p_ _ _ _.

9. A Ana precisa de ir à casa de banho. Está mesmo a_ _ _ _ _ _.

10. A t_ _ _ _ _ _ _ _ _ _ é uma história de ficção apresentada na televisão. Normalmente, tem centenas de episódios.

E. Complete com a preposição em falta.

1. Em vez de ler os jornais *na* Internet, prefiro lê-los _____ papel.
2. O que é que está _____ dar na televisão?
3. Na minha família, todos torcem _____ Benfica.
4. O Afonso errou só uma vez _____ teste.
5. A Ana não conseguiu acertar _____ nenhuma das respostas no teste de Química.
6. Fui-me embora porque me fartei _____ esperar.
7. _____ minha opinião, este programa não presta!

F. Complete com as palavras da caixa.

| audiências ~~canal~~ noticiário resultado desgraça entretenimento nível gémeo publicidade regra qualidade contudo temporada |

1. Qual é o teu *canal* de televisão preferido?
2. Não sou fã de marisco. _____, de vez em quando, gosto de comer polvo.
3. Este livro tem muito pouca _____.
4. Qual foi o _____ da reunião?
5. O Cais do Sodré é um bairro lisboeta conhecido pelo _____ noturno.
6. Gostaria de ler este livro, mas o _____ do meu português ainda não o permite.
7. _____ geral, não leio policiais.
8. Não vi a última _____ de *Breaking Bad*.
9. Aconteceu-me uma grande _____. Perdi o telemóvel!
10. Neste canal, não passa nenhuma _____ depois das 22h00.
11. Este programa tem sido um êxito de _____.
12. O Lucas tem um irmão _____.
13. João, viste o _____ das oito?

G. Vê muita televisão? Quais são os seus canais e programas preferidos?

_____
_____
_____
_____
_____
_____
_____
_____
_____
_____

H. Leia o *GuiaTV*. A seguir, responda às perguntas abaixo escrevendo a hora certa.

Programação para sexta-feira, 23 de setembro

10h00 – *Volta ao Mundo*: o escritor José Luís Peixoto leva os espectadores a passear à volta do mundo, mostrando o que há de melhor para visitar.

11h00 – *Quem Está a Seguir?*: o médico de Clínica Geral, Dr. João Ramos, vai falar sobre as dúvidas que preocupam muitos dos seus pacientes.

13h00 – *Donos Disto Tudo*: no regresso do humor sobre a atualidade, um grupo de cinco comediantes reúne-se para recriar os principais temas da semana.

15h00 – *Notícias do Meu País*: programa que nos diz quem somos através do conhecimento da história do nosso país. Vamos encontrar portugueses espalhados pelo mundo e levar-lhes as lembranças da terra dos pais e dos avós.

16h00 – *Mundo Incrível*: esta semana mostramos-lhe o fascinante mundo das borboletas que habitam uma reserva natural no México.

17h00 – *Agora Somos Nós*: é uma série perfeita para os seus filhos. Conta histórias em que os animais de estimação são as personagens principais.

18h00 – *Linha da Frente*: é um dos espaços mais premiados da televisão portuguesa. Não precisa de apresentações.

19h00 – *Sabia Que?*: Daniel Catalão apresenta um programa de ciência.

21h00 – *Corações a Arder* (Episódio 354): produção nacional que conta a história de Maria, que tem pouca sorte no amor.

22h00 – *Presente de Morte*: Norma e Arthur levam uma vida banal. Um dia, aparece-lhes à porta um homem com uma proposta que irá alterar as suas vidas para sempre.

A que horas pode ver...

1. ... uma telenovela portuguesa? _____
2. ... um programa sobre vida selvagem? _____
3. ... um programa sobre viagens? _____
4. ... um programa que todos conhecem? _____
5. ... um programa para crianças? _____
6. ... um programa que vai fazê-lo rir? _____
7. ... um programa sobre emigração? _____
8. ... um programa sobre saúde? _____

NA CLÍNICA

A. Complete as frases com as palavras da caixa.

ligeiro	preferência	privado
~~exame~~	folga	linha	utente

1. Queria marcar um *exame*.
2. Este é um número _____ .
3. A _____ está ocupada.
4. Podia recomendar-me um bom psicólogo? De _____ , não muito caro.
5. Na próxima segunda, estou de _____ .
6. Uma _____ não ficou satisfeita com o serviço.
7. Ontem, comi um pequeno-almoço _____ .

B. As frases abaixo fazem parte de um diálogo ao telefone entre uma funcionária de um consultório e uma utente. Corrija os erros nas frases.

1. Qual é o seu número da utente, se faz favor? *de*
2. No dia 15, o doutor está em folga. _____
3. Mesmo quer desmarcar? _____
4. Estando assim, não tenho outra opção. _____
5. Bom dia, é no consultório do Dr. Silva? _____
6. Dá a adiar para o dia 15? _____
7. É, é. Em que lhe posso ajudar? _____
8. 474758. A consulta está no dia 14. _____
9. Era de desmarcar uma consulta. _____

C. Reescreva as frases do exercício B por ordem.

Utente: *Bom dia, é do consultório do Dr. Silva?*[1]

Funcionária: _____[2]

Utente: _____[3]

Funcionária: _____[4]

Utente: _____[5]

Funcionária: _____[6]

Utente: _____[7]

Funcionária: _____[8]

Utente: _____[9]

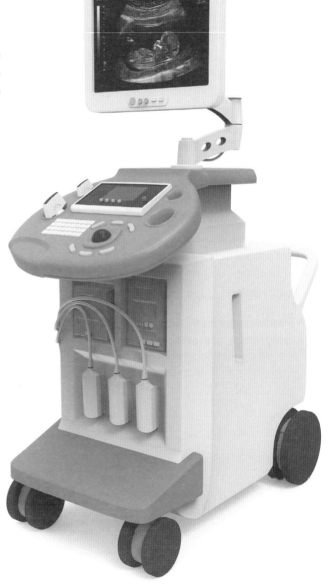

VOCABULÁRIO QUE DEVE SABER USAR:

UNIDADE 21

bater (em)
deixar cair
distinguir
encantar
entornar
escorregar
estrear
exagerar
gozar (com)
incomodar
merecer
partir-se
pisar
renovar
tropeçar (em)

o atacador
o balde
o caso
a celebridade
a emoção
a escultura
o esforço
a estreia
a gota
a obra de arte
o padre
o pesadelo
a pintura
o pormenor
o retrato
o talento
o teto
o vaso

fascinante
local
violento

ao contrário de
em geral
(na semana) que vem
no valor de

Estás enganado!
Foi sem querer!

UNIDADE 22

chamar a atenção
descontrair
encontrar-se em
mexer (com)
reconhecer
tratar-se de

o armazém
a asa
a biografia
a capa
o capítulo
a cara-metade
o destino
o episódio
o escritor
a esperança
a ficção científica
a fonte
o género
a inspiração
a leitura
a memória
a montra
a paixão
o/a personagem
a plateia
o policial
o reino
a segurança
a série
o templo

exigente
literário
magnífico
medieval
semelhante
variado

de imediato
enfim

UNIDADE 23

basear(-se)
fingir
suspeitar

a ação
a banda sonora
o cartaz
a comédia
o drama
os efeitos especiais
o espectador
o espírito
o exemplo
a guerra
as legendas
o musical
o papel
as pipocas
o realizador
o terror
a tonelada

atraente
biográfico
desagradável
dobrado
principal
surpreendente

UNIDADE 24

acertar
errar
fartar-se (de)
torcer por

o artigo
a audiência
o canal
a contagem
a desgraça
o diário
o documentário
o engano
o espetáculo
o gémeo
a imprensa
a lavagem
o nível
o noticiário
a perda
a porcaria
o princípio
a qualidade
o resultado
a secagem
o semanário
o tabloide
a telenovela
a temporada

brilhante
deprimido
desportivo
emocionante
hilariante
parvo
ridículo

contudo
de referência
em especial

PORTUGUÊS EM AÇÃO 6

aguardar
desmarcar
a folga
o utente
ligeiro
de preferência
logo que possível

ESCRITA 6

prometer
o elenco
o político
dececionado

UNIDADE 25 — VENHO FAZER ANÁLISES

COMUNICAÇÃO
falar sobre problemas de saúde, descrever tratamentos e procedimentos médicos

VOCABULÁRIO
saúde, sintomas de doença, tratamentos e procedimentos médicos

PRONÚNCIA
ditongos

GRAMÁTICA
ir e **vir** como auxiliares, discurso indireto (imperativo), expressões com **fazer**

A. Escreva o artigo definido.

1. _a_ tosse
2. ____ nariz
3. ____ febre
4. ____ sintoma
5. ____ análise
6. ____ disparate
7. ____ sangue
8. ____ gripe
9. ____ dente
10. ____ dor

B. Faça a correspondência entre as colunas.

1. baixar
2. tomar
3. tirar
4. fazer
5. fraturar
6. aliviar

a. um raio X
b. um osso
c. os sintomas
d. a febre
e. sangue
f. um antibiótico

C. Complete as frases com as expressões do exercício B. Use o verbo na forma correta.

1. Tu estás com gripe, por isso não precisas nem deves _tomar um antibiótico._
2. Estes comprimidos devem ajudar a _____ _____ da constipação.
3. Este paciente _____ ao andar de bicicleta, por isso agora temos de _____.
4. Para _____, tens de tomar uma aspirina.
5. Sr. Costa, vamos ter de _____ para análise.

D. Escreva o nome ou o adjetivo/particípio passado.

1. _vacina_ — vacinado
2. inflamação — _____
3. _____ — alérgico
4. fratura — _____
5. _____ — tratado
6. constipação — _____
7. _____ — engripado
8. atendimento — _____

E. Complete as frases com a palavra correta.

1. Quando é que você _fez_ um *check-up*?
   a) tirou   b.) fez   c) tomou
2. Quem deve ____ a vacina contra a gripe?
   a) ter   b) baixar   c) tomar
3. Quando foi a última vez que ____ a tensão?
   a) tirou   b) tomou   c) mediu
4. Os resultados das análises que ____ estão bons.
   a) tirou   b) mediu   c) fez
5. O Carlos está com uma febre muito ____.
   a) grande   b) enorme   c) alta
6. Tenho o nariz ____ e estou com febre.
   a) entupido   b) tapado   c) fechado
7. Não se ____ uma simples constipação com antibióticos!
   a) tira   b) trata   c) baixa
8. Temos de reduzir o número de medicamentos que o senhor ____ todos os dias.
   a) leva   b) come   c) toma
9. Amanhã vou ____ um dente.
   a) levar   b) tirar   c) partir
10. A Susana já ____ da gripe que teve.
    a) voltou   b) regressou   c) recuperou
11. Bem, já são dez horas. Vou ____.
    a) indo   b) andando   c) passando

F. Faça frases com as palavras dadas.

1. para / fria / a / porque / mandei / estava / trás / / sopa
   Mandei a sopa para trás porque estava fria.
2. uma / fiquei / que / faz / gripe / hoje / com / / semana
   _____
3. ir / não / Coimbra / de / faço / camioneta / a / / questão / de
   _____
4. mal / seguir / a / desmaiou / sentiu / a / se / Ana / e
   _____
5. aí / como / foi / é / parar / mala / que / a / minha
   _____ ?

G. Faça a correspondência entre as colunas.

a)

1. estado	a. ao nariz
2. cirurgia	b. ao pó
3. tosse	c. a pingar
4. doença	d. de saúde
5. alergia	e. seca
6. nariz	f. tropical

(1 → d)

b)

1. intoxicação	a. amarela
2. garganta	b. de gripe
3. dor	c. alimentar
4. febre	d. de cabeça
5. sintoma	e. em respirar
6. dificuldade	f. inflamada

H. Complete com as palavras da caixa.

> ficha   alta   alérgica   contra   ~~tratamento~~
> quanto   baixa   gripe   erro   efeito

1. Qual é o *tratamento* para esta doença?
2. O senhor não se importa de preencher a sua _____ médica?
3. Conheço este médico há 5 anos, salvo _____.
4. A Ana tem estado de _____.
5. Onde é que tu apanhaste a _____?
6. O Rodrigo teve _____ do hospital na sexta.
7. Tanto _____ sei, o Paulo está em França.
8. A Inês é _____ ao pelo dos animais.
9. Tomaste a vacina _____ doenças tropicais?
10. Os comprimidos que tomo não estão a fazer _____ nenhum.

I. Escreva os sinónimos da caixa ao lado das palavras destacadas nas frases.

> ~~surgir~~   pálida   asneira
> cirurgia   descansado   controlar

1. Estas manchas na pele podem **aparecer**/*surgir* de repente.
2. A tua cara está muito **branca**/_____. O que aconteceu?
3. Que grande **disparate**/_____ que tu fizeste! E agora?
4. É preciso **ver**/_____ a tensão regularmente.
5. Fica **tranquilo**/_____. Eu vou resolver este problema.
6. O Jorge está de baixa porque fez uma **operação**/_____.

J. Escreva as frases no discurso indireto usando o verbo indicado.

1. Rui: "Cristina, não te sentes aqui!" *(pedir)*
   O Rui pediu à Cristina para ela não se sentar ali.
2. João: "Ana, não cortes o cabelo!" *(pedir)*
   _____
3. Dra. Júlia: "D. Teresa, deite esses papéis fora!" *(mandar)*
   _____
4. Diretor: "Sara, traduza-me este documento!" *(pedir)*
   _____
5. Nuno: "Cátia, não me chateies agora!" *(dizer)*
   _____
6. Mãe: "Rapazes, arrumem o quarto!" *(pedir)*
   _____
7. Pai: "Afonso, não tenhas medo do cão." *(dizer)*
   _____
8. Médico: "D. Lúcia, não olhe para trás!" *(pedir)*
   _____
9. Luís: "Tiago, vende a casa da tua mãe!" *(dizer)*
   _____

K. Junte as partes das frases.

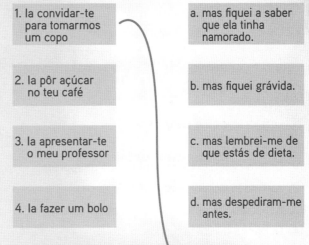

1. Ia convidar-te para tomarmos um copo	a. mas fiquei a saber que ela tinha namorado.
2. Ia pôr açúcar no teu café	b. mas fiquei grávida.
3. Ia apresentar-te o meu professor	c. mas lembrei-me de que estás de dieta.
4. Ia fazer um bolo	d. mas despediram-me antes.
5. Ia pedir a Sofia em casamento	e. mas deixei a carteira em casa.
6. Ia pedir um aumento de salário	f. mas parou de chover e fui a pé.
7. Ia apanhar o autocarro	g. quando vi que não tinha ovos.
8. Ia fazer um curso de mergulho	h. mas parece que vocês já se conhecem.

COMUNICAÇÃO	VOCABULÁRIO	FORMAÇÃO DE PALAVRAS	GRAMÁTICA
falar sobre desporto e atividade física	modalidades desportivas, atividade física, verbos de movimento	sufixo nominal **-mento**	frases enfáticas

A. Faça as palavras cruzadas.

Horizontal:

5. O Sporting ou o Benfica.
8. O oposto de *vitória*.
9. Objeto redondo usado em vários desportos.
12. Atividade desportiva.
13. Espaço onde entra a bola quando é golo.
14. De longa ou curta distância.

Vertical:

1. É o melhor.
2. Um grupo de desportistas.
3. Ensina os desportistas.
4. O oposto de *derrota*.
6. A peça de metal recebida pelos vencedores.
7. Quando a bola entra na baliza.
10. 0:0, 1:1, 2:2, etc.
11. O fã.

B. Escreva os nomes dos desportos.

1. _____

Foi inventado no Canadá, onde é desporto nacional. Duas equipas de seis jogadores jogam contra si num rinque de patinagem, tentando colocar o disco de borracha na baliza.

2. _____

Uma corrida realizada na distância de 42 195 km, normalmente nas ruas e estradas. É a única modalidade desportiva que teve o seu início numa antiga lenda grega.

3. _____

É um desporto de velocidade praticado nos rios e lagos, em que um barco pequeno e estreito é movido o mais depressa possível com a força dos braços e pernas do atleta.

4. _____

É um desporto de equipa inventado nos Estados Unidos. Duas equipas de cinco jogadores têm como objetivo colocar a bola dentro de um cesto colocado a uma altura de cerca de 3 metros.

5. _____

É uma modalidade desportiva de origem inglesa em que os jogadores usam raquetes para lançar uma pequena bola por cima de uma rede colocada no meio do campo.

6. _____

Desporto de inverno em que o atleta se movimenta em cima da neve usando duas pranchas que estão presas aos pés. Tem origem na Noruega.

7. _____

É um desporto individual de velocidade praticado nos mares, oceanos, lagos e rios, em que barcos ligeiros e pequenos são movidos apenas com a força do vento.

C. Faça a correspondência entre as colunas.

1. resultado
2. ténis
3. hóquei
4. desporto
5. medalha
6. campeão
7. sócio

a. do mundo
b. de inverno
c. do clube
d. do jogo
e. de mesa
f. no gelo
g. de ouro

D. Complete com os verbos da caixa na forma correta do Infinitivo ou do Particípio Passado.

agarrar   atirar   carregar   ~~dar~~
empurrar   esticar   puxar   saltar   segurar

1. A porta só abriu depois de eu *dar* um forte pontapé nela.
2. Porque é que andas _____ com tanta coisa? Isso faz-te mal às costas.
3. Gosto deste cinema porque o espaço entre as filas deixa-me _____ as pernas.
4. Afonso, podes _____ neste vaso? Mas cuidado, não o deixes cair!
5. O gato quis _____ da janela para a rua porque viu um pássaro.
6. Não se pode _____ o fio para desligar aparelhos elétricos!
7. Ritinha, porque é que estás a _____ os brinquedos para o chão? Para com isso!
8. Rui, vai _____ aquela senhora pelo braço e ajuda-a a atravessar a estrada!
9. O meu carro não pega. Preciso de o _____.

E. Faça frases com as palavras dadas.

1. de / empate / o / terminou / em / jogo / ontem
   O jogo de ontem terminou em empate.

2. foi / a / não / de / ganhar / nossa / jogo / / equipa / este / capaz
   _____

3. marido / a / o / futebol / da / liga / nada / não / / Anastásia
   _____

4. três / jogo / este / golos / só / jogador / num / / marcou
   _____

5. sábado / para / esgotados / os / o / já / bilhetes / / de / estão / jogo
   _____

F. Transforme as frases abaixo em frases enfáticas.

1. Gostava de conhecer esta parte da cidade.
   O que eu gostava era conhecer esta parte da cidade.

2. A Ana escolheu este restaurante.
   _____

3. Você fala sempre muito mal da diretora.
   _____

4. A Ana não desligou o telemóvel no avião.
   _____

5. Este homem estaciona sempre no meu lugar.
   _____

6. Prometeste que ias ajudar-me.
   _____

7. Incomoda-me a falta de respeito pelos idosos.
   _____

G. Complete com *cá* ou *lá*.

1. Vá *lá*! Diga o que quer fazer!
2. Sei _____ o que o meu irmão quer fazer! Nós quase não falamos um com o outro!
3. Jorge! Não é assim que se abre uma garrafa de vinho! Dá _____ isso!
4. Desculpa _____, mas nada do que disse é verdade.
5. Porque é que não queres sair comigo hoje? Anda _____! Vai ser divertido!
6. _____ para mim, hoje não vai chover.
7. Conduza com cuidado e veja _____ se não se engana no caminho!
8. _____ entre nós, a Júlia vai separar-se do marido.

H. Escreva sobre os seus gostos no desporto. Pratica ou praticou alguma modalidade desportiva? Costuma ver eventos desportivos ao vivo ou na televisão?

_____
_____
_____
_____
_____
_____
_____
_____
_____

ESPERO QUE GOSTES DO BRASIL!

COMUNICAÇÃO
expressar desejo, vontade, pedidos, sentimentos e dúvida

VOCABULÁRIO
português do Brasil, organização de vida, aluguer de uma casa

PRONÚNCIA
palavras homónimas e parónimas

GRAMÁTICA
presente do conjuntivo

A. Reformule as frases usando o Conjuntivo. Acrescente os verbos dados.

1. O avião vai chegar atrasado. *(eu/recear)*
   Receio que o avião chegue atrasado.
2. Ninguém tem dinheiro para te emprestar. *(eu/lamentar)*
   _____
3. O novo filme de Woody Allen vai estrear em breve. *(eu/esperar)*
   _____
4. O diretor vai aumentar os salários. *(a Ana/querer)*
   _____
5. Não és capaz de levantar este peso. *(eu/duvidar)*
   _____
6. Arruma as meias na gaveta! *(eu/agradecer)*
   _____
7. O Luís tem de enviar esta carta hoje. *(o diretor/querer)*
   _____
8. Estes comprimidos não vão baixar a febre. *(o médico/duvidar)*
   _____
9. Não vão construir nada em frente da nossa casa. *(nós/preferir)*
   _____
10. A Rita sente-se tão mal! *(eu/lamentar)*
    _____
11. As batatas ainda não estão cozidas. *(eu/recear)*
    _____
12. Vocês interrompem-me. *(eu/não querer)*
    _____
13. Para de chorar! *(eu/pedir)*
    _____
14. A Ana não vai casar contigo. *(eu/duvidar)*
    _____
15. Vou ralar as cenouras. *(tu/querer)*
    _____ ?
16. A Ana vai arranjar emprego em breve. *(os pais/esperar)*
    _____

B. Faça a correspondência entre os adjetivos com o significado oposto.

1. complicado	a. tranquilo
2. ansioso	b. comum
3. privado	c. indiferente
4. obrigatório	d. público
5. entusiasmado	e. simples
6. extraordinário	f. opcional

C. Complete as letras que faltam nas palavras.

1. Quando quer alugar uma casa, pode pedir o serviço de uma agência imobiliária.
2. O p_ _ _ _ _ _ _ _ _ _ _ é o dono.
3. O i_ _ _ _ _ _ _ _ _ é uma pessoa que arrenda um apartamento.
4. O s_ _ _ _ _ _ _ _ é o dono da casa que está arrendada.
5. Neste bairro há c_ _ _ _ _ _ _ de vigilância por todo o lado.
6. A r_ _ _ _ _ é o dinheiro que se paga mensalmente pela casa arrendada.
7. Quando quer alugar uma casa, tem de assinar o contrato de a_ _ _ _ _ _ _ _ _ _ _ _ e pagar um mês de c_ _ _ _ _ _ .
8. O o_ _ _ _ _ _ _ _ é o dinheiro que o trabalhador recebe mensalmente.
9. Qual é o teu número de s_ _ _ _ _ _ _ _ social?
10. A Jieling tem visto de r_ _ _ _ _ _ _ _ _, por isso pode trabalhar em Portugal.
11. Tens um s_ _ _ _ _ de saúde privado?
12. Para emitirmos este documento, o senhor precisa de ter morada f_ _ _ _ em Portugal.
13. C_ _ _ _ _ _ _ _ são quedas de água.

D. Complete com os verbos da caixa na forma correta.

arrendar	comparar	dever
meter	desconfiar	~~resolver~~	organizar

1. Não sei como vais *resolver* este assunto.
2. Antes de comprar uma coisa, gosto de _____ os preços em várias lojas.
3. O Nuno _____-me 30 euros.
4. Não te _____ em sarilhos!
5. A Sara quer que a ajude a _____ a festa de casamento dela.
6. A Ana _____ que o namorado dela não seja uma pessoa honesta.
7. Queria _____ esta casa o mais depressa possível.

E. Complete com as preposições que faltam.

1. Ajuda-me *a* pôr esta mesa no meio da sala!
2. A Sofia sempre gostou muito do Marco. _____ entanto, casou com o Pedro.
3. _____ razões pessoais, a Ana vai mudar-se para Espanha.
4. O preço deste móvel é muito _____ conta.
5. O Jorge precisa de pedir um cartão de crédito. _____ enquanto, usa o do irmão dele.

F. Complete com as palavras da caixa.

condições	emergência	seguranças
~~serviços~~	esplanada	finanças
confusões	desafio	porém	despedida

1. Os *serviços* de saúde públicos não são nada bons neste país.
2. As pessoas que arrendaram esta casa não a deixaram em boas _____.
3. Preciso de um telemóvel já! Isto é uma _____!
4. Vamos beber um café na _____.
5. Já te inscreveste nas _____?
6. No aeroporto havia muitos polícias e _____.
7. Os meus vizinhos fazem muito barulho, mas não me vou queixar porque não me apetece arranjar _____.
8. Ter quatro filhos hoje em dia é um grande _____ para os pais.
9. Gosto desta casa. _____, a cozinha é muito pequena.
10. O Diogo deu-me um forte abraço de _____.

G. Leia as notícias e avisos escritos em Português do Brasil. Sublinhe os nomes usados só no Português do Brasil. A que palavras do Português Europeu correspondem? Escreva-as nas caixas.

(sumo)

1. A beterraba é um vegetal muito popular e muito usado em saladas, mas você sabia que tomar <u>suco</u> de beterraba emagrece?

( )

2. O bonde de Santa Teresa parou de circular há quase quatro anos, quando a falta de manutenção do sistema provocou um acidente grave, deixando seis pessoas mortas e 50 feridas.

( ) ( )

3. É proibida a entrada a bordo do ônibus com sorvete.

( ) ( )

4. A tela do meu celular não responde ao toque. O que fazer?

( )

5. A região metropolitana do Rio de Janeiro tem a maior rede de trem do Brasil, seguida por São Paulo.

( )

6. **Rhodes Hotel – comentários dos clientes**
Achei o hotel com boa localização e muito limpo. O café da manhã foi simples, mas gostoso. O único ponto negativo foi a falta do elevador.
Sofia

( )

7. Cebolas, tomates e azeite são alguns dos alimentos que você nunca deveria colocar na geladeira.

( )

8. Em Petrolina, quem está na área central da cidade, tem dificuldade de encontrar banheiros públicos. Com isso, muitos moradores vão a centros comerciais ou, então, aguardam até chegar nas suas residências.

UNIDADE 28 — ISSO DÁ AZAR!

COMUNICAÇÃO	VOCABULÁRIO	FORMAÇÃO DE PALAVRAS	GRAMÁTICA
falar sobre traços culturais, descrever atitudes, dar opinião, reagir	superstições, diferenças culturais, atos de fala	sufixo nominal **-ância/-ência**	uso de **talvez** e **embora** com o presente do conjuntivo, expressões com **dar**

A. Faça frases com as palavras dadas, começando-as com *embora*. Acrescente os artigos e as preposições em falta. Faça todas as outras alterações necessárias. Não mude a ordem das palavras.

1. (eu) não / conhecer / Ricardo / ele / dever / ser / / pessoa / interessante
   Embora não conheça o Ricardo, ele deve ser uma pessoa interessante.

2. este / ideia / não / lhe / agradar / Sara / ter / / vender / casa

3. (eu) dar / mal / Susana / querer / convidar / / festa

4. Ana / ter / quatro / filho / querer / ficar / grávida / / novo

5. este / equipa / ter / bom / jogadores / não / / conseguir / vencer / nenhum / jogo

6. (tu) ter / carácter / muito / difícil / eu / não / / conseguir / deixar / gostar / tu

7. Marco / ter / sempre / muito / cuidado / / constipar-se / facilidade

8. haver / mercado / perto / seu / casa / Rita / / comprar / fruta / supermercado

9. (eu) carregar / telemóvel / todo / dias / / estar / sempre / sem / bateria

10. Sofia / passar / imenso / tempo / praia / seu / / pele / continuar / pálido

B. Termine as frases sobre si.

1. Amanhã, talvez _____
   _____.

2. No próximo fim de semana, talvez _____
   _____.

3. No ano que vem, talvez _____
   _____.

C. Complete os diálogos com as palavras em falta.

1. A: Os vizinhos perguntaram quando vamos vender a nossa casa.
   B: Eles não têm nada a ver com isso!

2. A: Quem está a seguir?
   B: Agora é a _____ da senhora que está a falar ao telemóvel.

3. A: Mãe, hoje não vou comer sopa. Não quero.
   B: Era só o que _____! Come a sopa já!

4. A: Vou fazer-te um chazinho!
   B: _____ estar! Acabei de beber sumo.

5. A: João, não posso imprimir este relatório para ti porque a minha impressora está sem tinta.
   B: Então, _____ feito. Bem, obrigado na mesma. Vou ter de ir a uma casa de fotocópias.

6. A: O Rui está com uma dor de cabeça. Coitado!
   B: Coitado nada! Porque é que bebeu tanto ontem? Agora tem de sofrer. _____ feito!

7. A: Tenho aqui umas sandes. Vou comer uma. És _____?
   B: Obrigado, mas acabei de comer um bolo.

8. A: Dr. Paulo, a reunião de amanhã será sobre o quê? A visita dos espanhóis?
   B: Não, isso não _____. Há coisas mais urgentes, como as queixas dos clientes.

9. A: Magoaste-me muito dizendo uma coisa dessas!
   B: Desculpa! Não leves a _____! Disse isso porque me preocupo contigo!

D. Complete as frases com *dar* ou *fazer,* na forma correta.

1. Quando a idosa viu o ladrão, *deu* um grito.
2. Amanhã vai _____ um ano que o Tiago ficou sem trabalho.
3. Olhar para ti a comer está a _____-me fome.
4. O senhor não se importava de me _____ um grande favor?
5. Não te esqueças de _____ os parabéns ao Nuno. Ele faz anos hoje!
6. Hoje, este museu é gratuito, por isso as pessoas _____ fila para entrar.
7. Não _____ trabalho nenhum limpar o chão!
8. O senhor pode _____ apoio à sua vizinha?
9. _____-me muita impressão ver a Ana a sofrer tanto!
10. Cruzar as facas _____ azar. Não faças isso!
11. O Rui deve ser despedido. Só _____ asneiras!
12. Hoje de manhã, a Ana _____-me a ideia de fazermos um passeio de bicicleta.
13. Ontem, a Sara _____ umas voltas pelo centro da cidade.
14. _____-me vontade de chorar quando vejo uma pessoa idosa a pedir dinheiro na rua.
15. Esta máquina nunca antes _____ problemas.
16. O xarope que estou a tomar não está a _____ efeito nenhum.

E. Reescreva as frases sem erros.

1. Vamos passar pelo resto da noite aqui?
   Vamos passar o resto da noite aqui?
2. Não digas de que não te avisei!
   _____
3. Ontem, não pus o pé para fora de casa.
   _____
4. Não será melhor mudares do assunto?
   _____
5. Realmente, tu não estás bom com cabeça!
   _____
6. Tenta não ligar no que eles dizem.
   _____
7. Temos de pagar esta conta. Qual remédio!
   _____
8. Basta a falar com o chefe para resolver este problema.
   _____

F. Complete as frases com os verbos da caixa na forma correta.

admitir ofender incomodar assustar
educar calhar ~~explicar~~ bastar
entornar ignorar

1. João, podes *explicar*-me porque é que as tuas notas são tão baixas?
2. Quando a Inês viu um rato, _____-se.
3. Tenho de _____ que não sou fã da cozinha alemã.
4. Para estas batatas cozerem, _____ 15 minutos.
5. O Jorge _____ um copo com sumo em cima da mesa.
6. Não quero _____ ninguém, mas podiam ajudar-me a pôr estas malas no carro?
7. Ontem, quando a Maria me viu na cantina, _____-me por completo. Nem respondeu ao meu "Olá!".
8. A Rita ficou _____ comigo porque lhe disse que as calças que tinha faziam-na mais gorda.
9. O próximo dia vinte _____ a um domingo.
10. Vocês não sabem _____ os filhos como deve ser!

G. Escreva sobre as superstições que há no seu país ou na sua região. Liga a alguma delas? O que é que pensa sobre esta questão?

_____
_____
_____
_____
_____
_____
_____
_____
_____
_____
_____
_____
_____

NO GINÁSIO

A. Complete as frases com os verbos da caixa na forma correta.

> informar   inscrever   manter   pagar
> ~~elaborar~~   pretender   tornar
> consultar   participar

1. Vamos elaborar o seu programa de treino.
2. Queria _____-me neste ginásio.
3. Pode _____-me sobre os preços?
4. A senhora já _____ a inscrição?
5. Quero _____-me em boa forma.
6. Seria possível _____ em aulas de grupo?
7. O senhor não quer _____ os preços?
8. No ano passado, o João _____-se sócio deste clube.
9. A senhora _____ perder peso?

B. Faça a correspondência entre as colunas.

1. treinador	a. física
2. sala	b. de grupo
3. aulas	c. pessoal
4. avaliação	d. informativo
5. folheto	e. de treino

C. Complete com a preposição em falta.

1. Estou interessado em manter a minha inscrição.
2. _____ relação _____ preços, há descontos de fim de semana?
3. Queria ir ao ginásio _____ vez _____ quando.
4. O treinador é pago _____ parte.
5. Esta roupa não é adequada _____ ginásio.

VOCABULÁRIO QUE DEVE SABER USAR:

UNIDADE 25

aliviar
desmaiar
estar de baixa
fazer falta
fazer o favor (de)
fazer impressão
fazer queixa (de)
fazer questão (de)
fazer uma cena
ficar descansado
fraturar
medir
respirar
surgir
ter alta

a análise
o antibiótico
a asneira
a cirurgia
a constipação
o disparate
a doença
a ficha
a intoxicação
o osso
o questionário
o raio X
o sangue
o sintoma
a tensão
o tratamento
as urgências
a vacina

entupido
inflamado
pálido
tropical

(nariz) a pingar
salvo erro
tanto quanto...

Vou andando!

UNIDADE 26

agarrar
atirar
dar um pontapé
empurrar
esticar
faltar às aulas
jogar à bola
marcar um golo
ocupar
puxar
saltar
segurar

o adepto
o aquecimento
a baliza
o basquetebol
a bola
o campeão
o casamento
a corrida
a derrota
os desportos de inverno
o empate
o evento (desportivo)
o golo
o hóquei (no gelo)
os jogos olímpicos
a maratona
a medalha
a modalidade
a nação
o ouro
a patinagem
o remo
o sócio
o ténis de mesa
a tradição
o treinador
o treino
a vela
a vitória

capaz (de)
esgotado
qualquer

Cá para mim...

UNIDADE 27

arrendar
comparar
duvidar
meter-se em sarilhos
recear

o arrendamento
as câmaras de vigilância
as cataratas
a caução
a condição
a confusão
o desafio
a despedida
a emergência
a esplanada
as finanças
o inquilino
o ordenado
o proprietário
a segurança social
o senhorio
o sistema

ansioso
entusiasmado
equipado
inscrito
mobilado
privado
público

depressa
entretanto
no entanto
porém
por enquanto

UNIDADE 28

admitir
assustar
bastar
calhar
cruzar
educar
ignorar
ofender
dar fome
dar uma volta
dar vontade de

a atitude
o azar
o chapéu
a coincidência
o comportamento
a crença
Deus
o grito
o guarda-chuva
os nervos
a reação
a religião
a sabedoria
a superstição

assustado
direito
distante
supersticioso
torto

embora

Bem feito!
Deixe estar!
É a minha vez!
Era só o que faltava!
É servido?
Força!
Não importa!
Não leve a mal!
Não se incomode!

PORTUGUÊS EM AÇÃO 7

elaborar
informar
participar
pretender
manter-se em forma

pagar à parte
a avaliação
os balneários
o folheto
a inscrição

a mensalidade
adequado
aliás
de vez em quando
em relação a

ESCRITA 7

contribuir
a adaptação
o quotidiano
a desvantagem
o direito

a solidão
a vantagem
por fim
por outro lado
por um lado

SOLUÇÕES

UNIDADE 1

A.

2. em
3. a
4. com
5. da
6. em
7. ao

B.

2. estimação
3. madrugada
4. continente
5. noitadas
6. natal
7. instrumento
8. ave

C.

2. Acordo sempre às 6 da manhã.
3. De que tipo de livros gostas?
4. A senhora tem bagagem de mão?
5. A Ana, normalmente, chega a casa tarde.
6. Desculpe, mas não me lembro do seu nome./Desculpa, mas não me lembro do teu nome.
7. Lisboa é a maior cidade em/de Portugal.

D.

2. faz
3. toma
4. fazer
5. dar/fazer
6. tirar/ter
7. beber/tomar
8. tomas/comes
9. dar/fazer
10. toma
11. fazer
12. descalçar/tirar
13. está/faz
14. fazer
15. levantar

E.

2. De que cor...
3. ... é o restaurante...
4. ... é a tua...
5. Preciso de falar...
6. ... daqui a três...
7. ... começar a preparar...
8. ... dinheiro a ninguém.
9. ... melhor do que...
10. ... sei o que...
11. Não se esqueçam...
12. Toda a gente...
13. Em que mês...
14. ... todos os dias...
15. ... volto a falar...

F.

2. ... não está...
3. ... a abrir...
4. ... a correr...
5. ... de bem.
6. ... de saber...
7. ... a beber...
8. ... por debaixo...

G.

2. Ouçam a mãe!
3. ... façam barulho!
4. Seja paciente!
5. Sente-se!
6. ... discutam!
7. Pare de falar ao telemóvel!
8. Ponham o lixo na rua!
9. Dispa a camisa!
10. ... fujas quando vês a tia!

H.

2. a
3. –
4. os
5. –
6. –
7. –
8. –

I.

2. Preparo
3. consigo
4. Saio
5. Deixo
6. vivo
7. fico
8. sou
9. corro
10. Encontro-me
11. Vou

a. F
b. V
c. NC
d. V
e. V
f. V

UNIDADE 2

A.

Horizontal:
1. familiares
4. visto
5. nativo
7. tasca
8. cônjuge
10. presente
12. ajudante
13. açoriano

Vertical:
2. rainha
3. sotaque
6. viajante
9. metade
11. sonhos

B.

2. abusar
3. aguentar
4. fazer
5. continuar
6. correr
7. queixar-se
8. faltar

C.

2. à; de
3. em
4. de
5. do
6. a
7. à
8. para
9. no

E.

2. tentou; conseguiu
3. falei; percebi; disse
4. vivia; cozinhava
5. comprou; pedi
6. telefonou; precisavam
7. sabia; estavam
8. recebi; enviou

F.

2. Ainda não li o último romance de Afonso Cruz.
3. Correto (*vivi* e *comi* também estaria correto).
4. Correto.
5. Quando entrei em casa, vi que já era meia-noite.
6. O gato acordou quando o Rui ligou o rádio.
7. Correto (*queria* também estaria correto).
8. Correto (*houve* também estaria correto).
9. Correto.
10. A Mariana acabou de ter uma discussão com os vizinhos.
11. Correto (*Gostava* também estaria correto).
12. A viagem não correu bem porque o voo foi cancelado.

G.

1. nome completo
2. sexo
3. local de nascimento
4. número do passaporte
5. data de emissão
6. válido até
7. endereço eletrónico
8. objetivo da viagem
9. número de entradas
10. duração da estadia
11. acompanhado por

UNIDADE 3

A.

2. confiar	6. apoiam
3. contar	7. separar-se
4. te dás	8. manter
5. tomar	

B.

2. g	5. b
3. e	6. a
4. f	7. d

C.

2. fazer inveja
3. entrar em contacto
4. está em baixo
5. falar a sério
6. tomar uma decisão
7. guardar segredo

D.

| 2. sentido | 4. grávida |
| 3. defeito | 5. prazer/gosto |

F.

2. mentem	6. mentem
3. mentimos	7. mente
4. tu	8. mente
5. minto	

G.

2. odeiam	6. odeiam
3. odiamos	7. odeia
4. tu	8. odeia
5. odeio	

H.

2. O Rui gostou mesmo do filme de ontem.
3. Eu mesmo fiz este bolo!
4. A Ana mora mesmo ao lado da escola?
5. É mesmo necessário pagar esta conta?
6. Sinto-me mesmo mal!

I.

1. g	5. c
2. b	6. d
3. f	7. e
4. a	

J.

2. f	6. d
3. g	7. a
4. b	8. e
5. h	

K.

2. Esta é a igreja onde nos casámos.
3. O carro que está na rua é meu.
4. O bar onde vamos abriu há uma semana.
5. O amigo de quem te falei chega amanhã./Amanhã, chega o amigo de quem te falei.
6. Queria comer o mesmo que aquela senhora.

L.

2. ... olhámos um para o outro.
3. ... gostar um do outro.
4. ... dar prendas um ao outro.
5. ... falam uma com a outra...
6. ... estavam apaixonados um pelo outro.

UNIDADE 4

A.

2. os arredores	6. a mudança
3. o apoio	7. a razão
4. coragem	8. A relação
5. um mistério	

B.

1. c	4. e
2. a	5. d
3. f	6. b

C.

2. de	10. para
3. no	11. de
4. do	12. em
5. a	13. de
6. nem	14. de
7. com	15. a
8. para	16. à
9. ao	

D.

2. Eu não aguento muito tempo sem fazer nada.
3. Tenho a certeza de que vais conseguir este emprego.
4. O Jorge passou metade do dia de ontem em casa.
5. A Sofia queria perder o medo de andar de avião.

E.

2. Apetecia-me mudar de emprego.
3. Podias ir fazer compras?
4. Esperavas por mim em frente da loja?
5. Compravas-me um jornal?
6. Precisava de mais dinheiro.
7. Trazias-me uma almofada?
8. Levavas a Ana para casa?
9. Vocês deviam comer mais legumes.
10. Não se importava de falar mais baixo?
11. Acordavas-me antes das 8 horas?
12. Emprestavas-me 10 euros?

G.

1. F   4. F
2. V   5. V
3. V   6. V

PORTUGUÊS EM AÇÃO 1

A.

2. d   4. e
3. a   5. c

B.

2. entregar   4. residir
3. chegar   5. demorar

C.

2. Dê-me o seu cartão de embarque!
3. Lamento, mas não posso ajudá-la/lo.
4. A sua mala vai chegar no voo seguinte.
5. Preferia não mudar de planos.
6. Vai ter de pagar o excesso de bagagem.
7. O senhor vai fazer escala em Lisboa?

UNIDADE 5

A.

2. a sobrinha   6. a menina
3. o genro   7. o colega
4. a sogra   8. a miúda
5. o bisavô

B.

2. O micro-ondas...   4. Os roupeiros...
3. O congelador...   5. As gavetas...

C.

2. A; de   6. pelo
3. do/de   7. com
4. de   8. do
5. nas   9. com

D.

2. regra   5. carácter
3. vergonha   6. meia
4. membro   7. programa

E.

2. Fazer a separação do lixo não dá trabalho nenhum.
3. O André passa demasiado tempo em frente ao computador.
4. Tens toda a razão em não deixar o teu filho fumar.
5. O filho da Susana está a portar-se muito mal.

F.

2. a   5. f
3. e   6. b
4. c

G.

1. pôr a roupa na máquina
2. lavar a roupa
3. tirar a roupa da máquina
4. pôr a roupa a secar
5. engomar a roupa
6. pendurar a roupa no roupeiro

H.

2. funcionários   6. sentido
3. mau   7. roupa
4. construção   8. ferro
5. tarefas   9. agência

I.

2. demais
3. demasiado/demais
4. demasiado
5. demasiadas
6. demasiado
7. demasiado/demais

J.

(há outras possibilidades)

2. falar/ver   9. falar
3. usar   10. acordar/levantar-me/chegar
4. fechar/abrir   11. falar/encontrar-me
5. vender/comprar   12. buscar
6. ganhar/dormir   13. gastar
7. arrumar   14. deitar
8. perder/ganhar

UNIDADE 6

A.

Horizontal: *Vertical:*
1. portátil   2. teclas
4. pasta   3. impressora
6. ecrã   5. teclado
8. cabo   7. ficheiros
10. rato   9. folhas
11. computador

B.

2. secador
3. máquina fotográfica
4. aspirador
5. máquina de barbear

C.

2. em   6. na
3. à   7. a
4. de   8. a
5. a   9. em

D.

2. chateies/chateie   5. aqueceu
3. aumentaram   6. desistir
4. descarregar

E.

2. rede
3. telefone
4. fotocópia
5. modelo
6. papel
7. maioria
8. adolescente
9. verso
10. conta

F.

2. Ontem, pedi-te para arrumares a secretária.
3. Hoje, o João não pode trabalhar por estar com gripe.
4. Precisas de fazer exercício para te sentires bem.
5. Amanhã, quero almoçar contigo para podermos falar de negócios.
6. Dois alunos querem mudar de turma por não gostarem da professora.
7. Desistimos da compra da casa por não termos dinheiro.
8. Partiste para Espanha sem dizeres nada a ninguém.

G.

2. ... vocês não estarem aqui connosco!
3. ... conduzires tão rápido!
4. ... não caíres!
5. ... vivermos perto da praia.
6. ... não gostares deste filme!
7. ... terminarem o trabalho.
8. ... falares comigo!
9. ... pedir dinheiro ao João.
10. ... a casa ficar mais fresca.
11. ... fazerem as compras.
12. ... ter um vírus.
13. ... não te atrasares.
14. ... ir para cima da cama!
15. ... irem comigo ao dentista.
16. ... apoiares na porta!
17. ... levantares?
18. ... estar de dieta.
19. ... acabarem este relatório!

UNIDADE 7

A.

2. Dentista
3. Polícia
4. Cozinheiro
5. Professor
6. Carteiro

B.

2. h
3. b
4. g
5. a
6. c
7. d
8. f

C.

2. por
3. a
4. do
5. a
6. à
7. na
8. por
9. de; ao

D.

2. atender
3. fazer
4. levar
5. assistir
6. passar
7. fazer
8. traduzir

E.

2. Apesar de serem um bocado largas, gosto destas calças.
3. Em vez de arrumarem o quatro, os filhos da Ana preferem ver televisão.
4. Depois de lavar a loiça, a D. Joaquina engoma as camisas.
5. Apesar de estar doente, o André conseguiu ganhar o jogo de ténis.
6. Além de ser bom, o carro do Nuno não gasta muita gasolina.
7. No caso de a Júlia e o Rui chegarem atrasados, vamos sem eles.
8. Além de ser simpática, a professora do Diogo sabe explicar bem a matéria.

F.

2. Tu próprio disseste que és uma pessoa preguiçosa!
3. Tenho um assunto urgente para falar com o Diogo.
4. Nesta empresa, não aumentam os salários há quatro anos.
5. O Carlos queria ter o seu próprio negócio.

G.

2. saíres
3. poderem
4. saber/saberes
5. queixar-se
6. terem
7. falar
8. dizerem
9. te despedires
10. sermos
11. reservar
12. tomar/tomares
13. abrir/abrirem
14. fazer/fazermos
15. aprender

UNIDADE 8

A.

Horizontal:	Vertical:
1. história	2. tesoura
5. biologia	3. agenda
6. cola	4. disciplinas
9. dossiê	5. borracha
10. geografia	7. agrafador
	8. química

B.

2. posto
3. tratado
4. gasto
5. chateado
6. sofrido
7. escrito
8. abusado
9. descoberto
10. odiado
11. despido
12. vindo

C.

2. Hás de arrepender-te do que fizeste.
3. Havemos de fazer uma viagem à Nova Zelândia.
4. Um dia hei de ser mãe.
5. Hás de compreender as minhas ações.
6. Eles hão de viver noutro país.
7. Havemos de convidar-te para veres a nossa casa.
8. Um dia hás de saber o que queres fazer na vida.
9. Hás de conhecer a minha família.

D.

2. h
3. a
4. f
5. b
6. d
7. c
8. g

E.

2. O teste
3. a nota

4. uma revisão
5. nota

F.

2. ao
3. de

4. à; por; de
5. à

G.

1. víamos
2. mudaste
3. moras

4. Mudei-me
5. vejo
6. continua

H.

2. fiquei
3. soube
4. acabou
5. passei
6. foi
7. Aprendi
8. achei
9. comecei
10. descobri
11. foi
12. Fiz
13. Passávamos
14. jantávamos
15. brincávamos
16. divertíamo-nos

17. Éramos
18. foram
19. Foi
20. tive
21. Havia
22. tinha
23. me sentia
24. estava
25. era
26. tinha
27. duravam
28. foi
29. me sentia
30. deixou

PORTUGUÊS EM AÇÃO 2

A.

2. fila
3. garantia

4. compra
5. modelo

B.

2. Que modelo é que recomenda?
3. A senhora está na fila?
4. Este artigo tem garantia, não tem?
5. Tem o recibo da compra?

C.

1. Então, que problema é que tem com a máquina?
2. Não consigo ligá-la. Deixou de funcionar ontem.
3. Estranho. Já viu se as pilhas estão boas?
4. Pilhas? Que pilhas?
5. Isto funciona a pilhas. Não sabia?
6. Por acaso, não. Que vergonha!
7. Acontece. Vamos então abri-la e pôr umas pilhas novas. Está a ver? Ligou sem problema nenhum.
8. Pois é. Obrigado! Quanto é que lhe devo?
9. Só tem que pagar pelas pilhas. São três euros.

UNIDADE 9

A.

2. mecânico
3. loja
4. cozinheiro

5. fábrica
6. piloto
7. autocarro

B.

2. na
3. à
4. à
5. com; de

6. pelo; em
7. por
8. em; por
9. como

C.

2. f
3. h
4. b
5. g

6. d
7. a
8. c

D.

Boa organização de trabalho
Conhecimentos de espanhol são bem-vindos
Horário de 2.ª a 6.ª feira
Boa apresentação
Bons conhecimentos de inglês
Boa capacidade de comunicação
Formação na área de Gestão
Disponível para viajar
Experiência de pelo menos 4 anos

E.

2. perfil
3. bolseiro
4. semestre

5. publicidade
6. vaga

F.

2. Os preços do setor imobiliário têm estado a aumentar.
3. Tens levantado muito dinheiro no multibanco.
4. Você tem respondido às cartas da Dra. Júlia?
5. Tem havido muitos acidentes nesta zona.
6. Tenho tido umas dores muito fortes.
7. O senhor tem sentido a falta da sua família?
8. Tens feito muitos exercícios de português?
9. A Joana tem recebido muitos elogios.
10. Tenho vindo muito a este restaurante.
11. Tenho pensado muito nos tempos que passámos juntos.
12. Tens falado com o João?
13. Temos tomado as decisões certas.

G.

2. Correto.
3. Nos últimos dias, não tenho fumado muito.
4. Ultimamente, não tenho visto muita televisão.
5. Correto.
6. Correto.
7. Ultimamente, o Rui não tem bebido muito café.
8. Correto.
9. A Inês partiu a perna.

H.

2. O dinheiro que ganhamos não chega para tudo.
3. Confesso que esta área me interessa bastante.
4. Preciso de dinheiro suficiente para poder pagar as contas.
5. Este trabalho não serve para as minhas qualificações.
6. Até agora, não tenho tido dificuldades em aprender português.

UNIDADE 10

A.

Horizontal:
1. velocidade
6. passadeira
9. engarrafamento
10. peões
11. camião
12. autoestradas

Vertical:
2. estrada
3. curvas
4. semáforo
5. portagens
7. cinto
8. trânsito

B.
2. Posso ficar com esta camisa? Tu já não a vestes.
3. Dá para nos sentarmos aqui por uns minutos?
4. Não dei por este erro.
5. Ontem, dei com a tua mãe no centro comercial.
6. Hoje, não posso aceitar o teu convite. Fica para a próxima vez.

C.
2. aproveitar	6. pronuncia
3. inclui	7. reduzir
4. dar	8. reparou
5. consultou	

D.
2. e	5. b
3. f	6. a
4. g	7. c

E.
2. ao	5. no
3. no	6. à
4. em; à	7. no

F.
2. vila	5. situação
3. paragem	6. pesquisa
4. aspeto	

G.
2. docinho	6. saquinho
3. amorzinho	7. viagenzinha
4. pezinho	8. olhinhos
5. mãozinha	9. peixinho

H.
2. é/tem sido	12. tive
3. estava/estive	13. telefonava
4. apareceu	14. podia
5. era	15. havia
6. sabia	16. tínhamos
7. consegui	17. resultou
8. estava	18. Chegámos
9. tocou	19. está
10. Tive	20. ir
11. Pediram	21. Preferia

I.
2. Aproveitei a ida à praia para tomar banho no mar.
3. O trânsito ficou lento por causa de um acidente.
4. Não tivemos tempo para fazer paragens no caminho.
5. É perigoso atravessar a estrada fora da passadeira.

UNIDADE 11

A.
2. d	5. a
3. e	6. b
4. g	7. c

B.
2. marina	6. gorjeta
3. comando	7. rodoviária
4. duna	8. pesca
5. serra	9. excursão

C.
2. de	5. até
3. em	6. fora
4. com	

D.
2. acabámos por
3. acabou de
4. acabei por
5. acabei de
6. acabou de

E.
2. c	6. b
3. b	7. c
4. b	8. c
5. a	

F.
2. Quando o João nasceu, a tia Alice já tinha morrido.
3. Quando chegámos ao aeroporto, o avião já tinha partido.
4. Quando a empregada fez o jantar, a avó já tinha adormecido.
5. Quando a Ana foi à rua, a chuva já tinha parado.
6. Quando te conheci, já tinhas terminado o curso.

G.
2. A Ana estava maldisposta porque tinha discutido com o namorado.
3. Estava satisfeito porque tinha passado no exame.
4. Não tinha sede porque tinha bebido muita água.
5. Estava constipado porque tinha apanhado frio.
6. O Tiago estava bronzeado porque tinha ido à praia.
7. O portátil estava avariado porque tinha caído ao chão.
8. Estava com fome porque não tinha comido nada.
9. Doíam-me as costas porque tinha caído.
10. A Marta estava chateada porque tinha perdido muito dinheiro.

H.
2. Este quarto não é nada de especial.
3. O serviço neste bar deixa muito a desejar.
4. O quarto cheira a cigarros.
5. Ficámos num hotel de luxo.
6. Esta casa precisa de obras.
7. As camas eram pouco confortáveis.
8. Neste quarto, ouve-se o barulho da rua.
9. O hotel é/fica longe do centro.
10. O que é que acham deste/sobre este quarto?

UNIDADE 12

A.
2. e	4. a
3. d	5. b

B.
2. a	6. em
3. do	7. à
4. ao	8. ao
5. em	

C.
2. resolveu	5. explicar
3. organizar	6. tocar
4. agrada	

D.

2. sentimento
3. fumo
4. surpresa
5. toque
6. dúvida
7. instalação
8. atendimento

E.

2. Sabem dizer-me onde se encontra o Museu da Ciência?
3. O António deu-me um presente.
4. Não me lembrei de trazer o protetor solar.
5. Este negócio tem sido um sucesso.
6. Nesta época do ano, não chove muito.
7. As férias deste ano foram inesquecíveis.
8. O hotel em que fiquei era assim-assim.
9. Resolvi não comprar o vestido por ser caro.

F.

2. Não podes comprar nada porque não tens dinheiro.
3. As máquinas não funcionam devido à falta de luz.
4. Como conheces bem a Dra. Paula, não te importas de falar com ela?
5. Uma vez que houve um problema informático, a loja teve de fechar mais cedo.
6. Não acabei a tradução por causa de não ter tempo.
7. As pessoas bebem mais cerveja porque está calor.
8. Como houve um acidente, a estrada está fechada.
9. Já que estás vestido, podes ir pôr o lixo no caixote.
10. O Pedro conseguiu este emprego porque é uma pessoa muito organizada.
11. Como te levantaste, podes fazer o pequeno-almoço.
12. Já que estamos de férias, vamos aproveitá-las o melhor possível.

G.

2 Correto.
3. Quando chegaste, eu já me tinha deitado.
4. Correto.
5. Correto.
6. Tens-te encontrado com o João?
7. Correto.
8. Temo-nos divertido muito na casa da Paula.
9. O João tem-se queixado de dores nas costas.

H.

2. Neste país, não se pode fumar em lado nenhum.
3. Este emprego deu-me a oportunidade de ganhar mais dinheiro.
4. Não me agrada nada o cheiro deste perfume./O cheiro deste perfume não me agrada nada.
5. Não acho piada nenhuma a este filme.
6. O concerto foi cancelado devido a um problema de som.
7. O quarto encheu-se de cheiro de café.
8. Já que fazes anos, comprei-te uma prenda.

PORTUGUÊS EM AÇÃO 3

A.

2. c
3. a
4. b
5. c
6. b

B.

1. Para onde é que vai ser?
2. Rua das Francesinhas, 25, se faz favor.
3. Tem alguma preferência de percurso?
4. Vá pela Avenida Dom Carlos I, se faz favor.
5. Onde é que quer ficar?
6. Deixe-me naquela esquina, se faz favor.
7. Chegámos. São 6 euros.
8. Faça favor. Tenha um bom dia.

UNIDADE 13

A.

2. no
3. do
4. em
5. aos
6. de
7. de
8. Na
9. nas

B.

2. chatear
3. desabafar
4. apitou
5. presta
6. mexas
7. chamar
8. ligar

C.

2. altitude
3. criminalidade
4. custo
5. desemprego
6. habitação
7. medidas
8. opinião
9. projeto
10. poluição
11. resto
12. ruído
13. margens

D.

2. permitiremos
3. explicarão
4. agradecerás
5. consultará
6. sofrerão
7. direi

F.

2. Esta torre terá 80 metros de comprimento.
3. Ao longo desta rua, haverá muitas árvores.
4. Este hotel estará pronto no início do próximo mês.
5. O preço das bebidas neste/deste restaurante não agradará aos clientes.
6. Ninguém fará esta tradução melhor do que a Ana.
7. O diretor apresentará um novo projeto na próxima reunião.

H.

2. No nosso escritório fazemos reuniões com muita frequência.
3. Não tenho nada a dizer sobre este assunto.
4. A minha amiga Fátima está sempre disponível para me ajudar.
5. Muitas pessoas estacionam o carro em segunda fila.
6. Chumbei no exame, mas a culpa é da professora.
7. Ficámos num hotel que se encontra a 3 000 metros de altitude.

UNIDADE 14

A.

2. especialista – conhecedor
3. motivo – causa
4. assunto – questão
5. lenda – história
6. maneira – modo

B.

2. acende
3. omitiu
4. concordou
5. confirmar
6. explicou

C.

2. a
3. f
4. b
5. c
6. d

E.

2. Será que a Ana mandou ontem uma mensagem ao Rui?
3. Será que o diretor tem a mesma opinião que nós?
4. O Pedro é uma pessoa que me faz sempre rir.
5. O Rafael não tem jeito nenhum para os computadores.
6. Graças à ajuda dos colegas, terminei o trabalho mais depressa./Terminei o trabalho mais depressa graças à ajuda dos colegas.

F.

2. complicada
3. sério
4. alegria
5. baixo
6. maravilha

G.

1. V
2. V
3. V
4. F

H.

2. b
3. a
4. b
5. a
6. a
7. b

I.

2. duzentos e trinta e um mil e quatrocentos
3. quatro milhões novecentos e dois mil e trezentos
4. doze milhões trezentos e quarenta mil e quinhentos

J.

2. a
3. ao/no
4. à
5. de

UNIDADE 15

A.

2. ... são feitos de madeira.
3. ... são feitos de pele.
4. ... são feitos de plástico/papel.
5. ... são feitas de tecido.
6. ... são feitas de metal.
7. ... são feitos de papel.
8. ... são feitos de metal.
9. ... são feitas de porcelana.
10. ... são feitas de lã.

B.

2. vela
3. lentes de contacto
4. papel higiénico
5. lâmpada
6. pastilha elástica
7. balão

C.

2. Destruo
3. constroem
4. destróis
5. constrói

D.

2. construir
3. localização
4. imaginar
5. poluição
6. destruir
7. treino
8. produzir
9. abertura
10. realizar
11. encerramento

E.

2. foi inventada
3. ser adiada
4. foi construída
5. foi realizado
6. foram destruídas
7. é vigiado
8. ser recuperada
9. foi interrompido
10. foi rodado
11. foi abandonado

F.

2. A data da reunião vai ser alterada para sexta-feira.
3. Porque é que não fui convidado para a tua festa de anos?
4. Este livro foi-me oferecido pela Joana.
5. Os clientes estão a ser servidos pelo empregado.
6. Antigamente, as casas nesta cidade eram pintadas de branco.
7. A Teresa é amada por todas as pessoas.
8. Os bombeiros foram chamados para apagar o fogo.

G.

2. foi servida
3. escolheu
4. foram desligados
5. atendeu
6. foram atendidos
7. abriu
8. encomendaram
9. foi parado
10. foste apresentado
11. interrompeu
12. imaginei
13. foram roubadas

H.

2. O quarto do Afonso foi limpo ontem.
3. Esta camisa foi feita onde?
4. Esta carta tem de ser traduzida para italiano.
5. Esta camisola já alguma vez foi lavada?
6. Onde é que foram tiradas estas fotografias?
7. O voo da TAP para Barcelona foi cancelado.
8. A América foi descoberta por Colombo.
9. A fatura da água ainda não foi paga.
10. A casa do Dr. Ramos foi vendida por 200 mil euros.
11. Estes tapetes foram comprados em Marrocos.
12. O João foi apanhado a copiar no exame de Química.
13. Esta mochila ainda não foi usada.
14. Todo o dinheiro foi gasto na semana passada.
15. Quando é que foi enviado o relatório de contas?
16. Esta questão já foi discutida várias vezes.
17. O mandarim é ensinado em algumas escolas em Portugal.
18. As praias portuguesas são procuradas pelos turistas.
19. A nova proposta vai ser apresentada amanhã.
20. Os contratos estão a ser assinados agora mesmo.
21. No domingo passado, foram postos vidros duplos em todas as janelas.

UNIDADE 16

Horizontal:

1. assalto
4. inspetor
6. assassino
8. polícias
10. esquadra
11. roubo

Vertical:

2. agente
3. carteirista
5. prisão
7. crime
9. ladrão

B.

2. dar
3. prestar
4. assaltar
5. metas
6. deteve
7. desapareceram
8. mandar

C.

2. aceite
3. entregue
4. morto
5. preso

6. conhecida
7. salvos/as
8. detido

D.

2. na
3. à
4. do

5. em
6. com

E.

2. Enquanto o professor falava, a Rita tirava apontamentos.
3. Enquanto a Ana traduzia o texto, o Rui tratava do almoço.
4. Enquanto a água aquecia, eu preparava a salada.
5. Enquanto a empregada varria o chão, a D. Lúcia pendurava a roupa.
6. Enquanto vocês conversavam, eu fazia a sobremesa.
7. Enquanto os pais estavam no teatro, a avó tomava conta dos filhos.
8. Enquanto o filho chorava, a mãe falava ao telefone.
9. Enquanto o Pedro punha a mesa, a Ana acabava o jantar.
10. Enquanto eu fazia os trabalhos de casa, tu ouvias música.

F.

2. A roda caiu quando o avião estava a levantar voo.
3. A impressora avariou quando estava a imprimir o bilhete.
4. Quando acordei, estava a chover muito.
5. O João partiu a perna quando estava a fazer esqui.
6. As luzes apagaram-se quando estava a ler.
7. Recebi uma chamada quando estava a conduzir.
8. O carro bateu numa árvore quando o condutor estava a falar ao telemóvel.
9. Perdi as chaves quando estava a correr.

G.

2. Precisava de fazer um telefonema antes da reunião.
3. Acho muito estranho a Ana não responder às minhas mensagens.
4. Estou muito aflito com o que aconteceu à minha irmã.
5. Os assaltantes roubaram-me a carteira com todos os documentos.
6. Como é que o comando da televisão foi parar à cozinha?
7. O roubo de azulejos é um crime muito comum em Portugal.
8. Vocês não prestam atenção a nada do que eu digo!

PORTUGUÊS EM AÇÃO 4

A.

2. em
3. por
4. em; com

4. em; com
5. contra

B.

2. pretende
3. cobre
4. cobram

5. avariado
6. devolvido

C.

1. b
2. d
3. a

4. e
5. c

UNIDADE 17

A.

1. limpo
2. moderado
3. máxima
4. nublado
5. aguaceiros

6. tempestades
7. forte
8. nuvens
9. precipitação
10. fraco

B.

2. FO
3. AR
4. AG
5. FO

6. AG
7. FO
8. AR
9. AR

C.

2. se aproxime
3. escondeu
4. lutar
5. tornou-se
6. causar

7. salvar
8. se apercebeu
9. ardeu
10. atingiu

D.

2. Mal acordei, olhei para o relógio.
3. Assim que ficou doente, a Ana começou a perder peso.
4. Logo que viram o ladrão, os meus pais chamaram a polícia.
5. Mal recebeu o aviso, o Rui pagou a conta em atraso.
6. Logo que comecei a sentir-me mal, marquei a consulta médica.
7. Assim que a reunião acabou, saímos.

E.

2. por
3. à
4. para

5. de
6. contra

F.

2. passagem
3. causar
4. luta
5. secar

6. erro
7. cair
8. medida

G.

2. aceite
3. salvo/a
4. imprimido
5. morto
6. aceitado
7. impressas
8. entregue

9. salvado; preso
10. morto
11. aceso
12. morrido
13. acendido
14. matado
15. prendido

H.

1. e
2. g
3. a
4. b

6. c
7. d
8. f

UNIDADE 18

A.

Horizontal:
1. camarão
3. cenoura
6. feijão
9. marisco
11. chouriço
13. leitão
14. polvo

Vertical:
2. atum
4. alface
5. borrego
7. maçã
8. cebola
10. pepino
11. couve
12. uva

B.

2. ... o mais simples possível.
3. ... o mais cedo possível.
4. ... o mais seguro possível.

C.

2. fazem-se
3. se produz
4. constroem-se
5. pronuncia-se
6. se aceitam
7. se fazem
8. tempera-se

D.

2. num
3. de
4. em
5. à
6. em
7. às
8. a
9. uma
10. com

E.

2. faltar
3. cortar
4. ralar
5. fritar
6. ferver
7. deitar
8. regar
9. levar

F.

2. Ao atravessar a estrada, o Rui caiu.
3. Ao acordar, abri as cortinas.
4. Ao ouvir a música, a Sara começou a dançar.
5. Ao voltar para casa, encontrei a Joana.
6. Ao aterrar, o avião começou a deitar fumo.

G.

2. b
3. c
4. c
5. a
6. a
7. a

H.

1. f
2. c
3. a
4. e
5. b
6. g
7. d

UNIDADE 19

A.

1. cabra
2. tigre
3. macaco
4. coelho
5. cavalo
6. serpente
7. rato
8. boi

B.

2. convencida
3. esperta
4. desconfiada
5. elegante
6. reservada
7. vaidosa
8. modesta
9. sensível
10. fiel
11. meiga

C.

2. à
3. para
4. por
5. pelo
6. Ao
7. do
8. ao
9. em
10. por

D.

2. desistindo
3. penteando
4. caindo
5. havendo
6. incluindo
7. mexendo
8. adiando
9. morrendo
10. indo

E.

2. Chumbando no exame, o Rui terá de repetir o curso.
3. Vendo a conta, a Inês ficou chocada.
4. Continuando a comer tantos doces, a Ana nunca perderá peso.
5. Mudando-se do campo para a cidade, o Alfredo deixou de ter contacto com a natureza.
6. Querendo devolver este artigo, o senhor precisará de trazer o talão de compra.
7. Apanhando sol, o Nuno ficou menos pálido.
8. Virando à esquerda, o motorista evitou o acidente.

F.

2. No caso de chumbar no exame, o Rui terá de repetir o curso.
3. Quando viu a conta, a Inês ficou chocada.
4. No caso de continuar a comer tantos doces, a Ana nunca perderá peso.
5. Depois de se mudar do campo para a cidade, o Alfredo deixou de ter contacto com a natureza.
6. No caso de querer devolver este artigo, o senhor precisará de trazer o talão de compra.
7. Como apanhou sol, o Nuno ficou menos pálido.
8. Ao virar à esquerda, o motorista evitou o acidente.

G.

2. A mãe da Ana tem cinquenta e tal anos.
3. Hoje, a cabeça não me dói tanto como ontem.
4. Nunca vi tal cão. Qual é a raça?
5. Corri tanto que não consigo falar.
6. Que tal alugarmos um carro?
7. Tal como tu, tenho dois filhos.
8. (Eu) não gosto de conduzir tão rápido como tu.

UNIDADE 20

A.

Horizontal:
2. pombo
4. girafa
6. aranha
8. leão
10. gaivota
12. lobo
14. mosca

Vertical:
1. elefante
3. borboleta
5. papagaio
7. golfinho
9. pinguim
11. baleia
13. urso

B.

2. voou
3. magoei
4. voava
5. magoavam

C.

2. voar
3. caçam-se
4. atropelado
5. criou
6. magoou-se

D.

2. patas
3. pelo
4. manchas
5. risco
6. insetos
7. espécie
8. pássaro
9. nojo

E.

2. Cada uma destas cadeiras custa duzentos euros.
3. Cada um de vocês vai trabalhar mais uma hora.
4. Uso os transportes públicos cada vez menos./Cada vez uso menos os transportes públicos.
5. Cada vez que vens a minha casa trazes uma prenda.
6. Esta cidade está a ficar cada vez mais perigosa.

F.

2. O nosso filho é amigo de um rapaz cujo pai é o diretor da escola.
3. Ajudei uma rapariga cujo carro avariou na autoestrada.
4. A mulher, cuja casa foi assaltada, chamou a polícia.
5. A senhora, cujo telemóvel encontrei, deve ser estrangeira.
6. Tive uma discussão com a vizinha cujo cão sujou a escada.
7. A aluna, cujo sotaque é difícil de compreender, é coreana.

G.

2. Uma sobremesa da qual gosto muito é o bolo de bolacha.
3. Conheço bem o veterinário ao qual levei o meu cão.
4. O assunto do qual temos de tratar é urgentíssimo!
5. O senhor ao qual você quer entregar a carta já não mora aqui.
6. O gato do qual estava a tomar conta fugiu.
7. A mulher à qual o empregado está a servir um café é atriz.
8. O exame no qual chumbei era muito difícil.
9. O passaporte é um documento sem o qual não posso viajar.

PORTUGUÊS EM AÇÃO 5

A.

2. ... tens o passe...
3. ... feito na hora.
4. É preciso preencher...
5. Preciso de levantar...
6. ... Que remédio!
7. ... a partir das 11h.

B.

2. emissão
3. entregar
4. úteis
5. exclusivo
6. utilizar
7. carregado

UNIDADE 21

A.

2. traduzirias
3. haveria
4. arranjariam
5. diríamos
6. acharia
7. mexeriam
8. mudaríamos
9. traria
10. iriam
11. farias
12. poria

B.

2. Gostaria de apresentar-te a minha irmã.
3. Não é possível.
4. Compraria este casaco, mas estou sem dinheiro.
5. Não é possível.
6. Seria muito interessante saber onde ela está agora.
7. Poderias ajudar-me a pôr estas cadeiras no carro?
8. Não deverias falar dessa maneira!
9. Não é possível.
10. Adoraria fazer uma viagem aos Açores!

C.

1. Museu da Música
2. Museu de Arte Moderna
3. Museu das Notícias
4. Museu dos Transportes
5. Museu do Fado

D.

2. entornou
3. bateu
4. escorregar
5. partiu-se; espalhou-se
6. deixou cair
7. pisou

E.

2. Mal eu sabia que a minha conta bancária estava a zero!
3. Não mereço todas as prendas que me dás!
4. Este filme faz parte de uma série que estreou no ano passado.
5. Lamento muito, mas não te posso ajudar em nada.
6. Incomoda-me muito quando alguém fuma ao meu lado.
7. Deixei cair um vaso mas, felizmente, não se partiu.
8. Esta exposição vai fechar na semana que vem.
9. Algumas obras de arte moderna são difíceis de compreender.

F.

2. estreia
3. esforço
4. incomoda
5. violenta
6. indiferente
7. estilos
8. pesadelo
9. gozar
10. tintas
11. distingui
12. pormenor
13. esculturas
14. celebridade
15. artigo
16. retrato
17. atacadores
18. teto

G.

2. valor
3. estrear
4. mentira
5. voar
6. instalação
7. enganar
8. limpeza

UNIDADE 22

2. lho enviei
3. Recomendei-ta
4. Roubaram-mas
5. mo mostraste
6. vender-lha

B.

2. serve
3. reconheci
4. descontrair
5. Trata-se/Tratou-se
6. mexeu
7. prender

C.

2. templo
3. armazém
4. plateia
5. asas
6. personagem
7. capítulo
8. palco
9. capa
10. montra
11. memórias
12. exigente
13. esperança

E.

2. ... é ficção científica.
3. ... é um romance histórico.
4. ... é literatura de viagem.
5. ... é um policial.
6. ... é um romance/uma história de amor.

F.
1. Confia em Mim
2. Procura-se Jardineiro
3. A Despedida
4. O Silêncio das Ondas

a. 3
b. 1, 3
c. 1
d. 2, 4
e. 2
f. 4

UNIDADE 23

A.
2. O Luís prometeu que ia devolver todo o dinheiro no mês seguinte.
3. O Dr. Saraiva avisou que os cidadãos não aceitariam a proposta da Câmara.
4. A Célia confessou que não sabia como explicar o que tinha acontecido no dia anterior.
5. O guia explicou que aquele edifício tinha sido construído 50 anos atrás.
6. A Cátia perguntou porque é que o diretor tinha interrompido a reunião.
7. O Francisco disse que era melhor adiar o encontro com o Sr. Santos.
8. A Mafalda disse que não reconhecia aquela voz.
9. A Maria perguntou quando é que o João tinha pintado a casa.
10. O dono do restaurante disse que os cozinheiros tinham de ser mais rápidos.
11. O Tiago gritou que aquele não era o prato que ele tinha pedido.
12. A Sofia disse que o gato dela gostava quando lhe faziam festas.
13. O funcionário anunciou que o avião de Londres ia chegar duas horas atrasado.
14. A Alice disse que as manchas naquela camisa não tinham desaparecido por completo.

B.
2. ... é uma comédia.
3. ... é um filme de guerra.
4. ... é um filme de ação.
5. ... é um filme de aventura.
6. ... é um filme de terror.

C.
2. finjas
3. rodado
4. desconheço
5. suspeita
6. promete
7. baseia-se

D.
2. principais
3. espectadores
4. pipocas
5. banda sonora
6. legenda

F.
1. V
2. V
3. F
4. F
5. NC
6. NC

UNIDADE 24

A.
2. Eu nunca cheguei a enviar a carta que escrevi ao Luís.
3. De repente, o Paulo ouviu um carro a apitar.
4. A Ana estudou nesta universidade, mas nunca chegou a terminar o curso.
5. A Elsa passou a pôr todas as fotografias dela na Internet.
6. O Rui chegou a devolver o dinheiro que devia ao Ricardo?
7. Ontem, o Marco passou todo o dia a tratar da correspondência.
8. Neste vídeo, vê-se alguém a assaltar o carro.

B.
2. O teu filho foi apanhado a fumar na escola.
3. O Rafael magoou-se a andar de bicicleta.
4. O Nuno acordou a pensar no exame de português.

C.
2. diário
3. semanário
4. tabloide
5. imprensa
6. cor de rosa

D.
2. emocionante
3. ridículo
4. hilariante
5. chatice
6. porcaria
7. deprimido/a
8. parvo
9. aflita
10. telenovela

E.
1. em
2. a
3. pelo
4. no
5. em
6. de
7. Na

F.
2. Contudo
3. qualidade
4. resultado
5. entretenimento
6. nível
7. Regra
8. temporada
9. desgraça
10. publicidade
11. audiências
12. gémeo
13. noticiário

H.
1. 21h00
2. 16h00
3. 10h00
4. 18h00
5. 17h00
6. 13h00
7. 15h00
8. 11h00

PORTUGUÊS EM AÇÃO 6

A.
2. privado
3. linha
4. preferência
5. folga
6. utente
7. ligeiro

B.
2. ... está de folga.
3. Quer mesmo...
4. Sendo assim,...
5. ... é do consultório...
6. Dá para adiar...
7. ... Em que posso ajudar?
8. ... A consulta é no...
9. Era para desmarcar...

C.

2. É, é. Em que posso ajudar?
3. Era para desmarcar uma consulta.
4. Qual é o seu número de utente, se faz favor?
5. 474758. A consulta é no dia 14.
6. Quer mesmo desmarcar?
7. Dá para adiar para o dia 15?
8. No dia 15, o doutor está de folga.
9. Sendo assim, não tenho outra opção.

UNIDADE 25

A.

2. o	7. o
3. a	8. a
4. o	9. o
5. a	10. a
6. o	

B.

2. f	5. b
3. e	6. c
4. a	

C.

2. aliviar os sintomas
3. fraturou um osso; fazer um raio X
4. baixar a febre
5. tirar sangue

D.

2. inflamado	6. constipado
3. alergia	7. gripe
4. fraturado	8. atendido
5. tratamento	

E.

2. c	7. b
3. c	8. c
4. c	9. b
5. c	10. c
6. a	11. b

F.

2. Faz hoje uma semana que fiquei com gripe.
3. Não faço questão de ir a Coimbra de camioneta.
4. A Ana sentiu-se mal e, a seguir, desmaiou.
5. Como é que a minha mala foi parar aí?

G.

a)

2. a	5. b
3. e	6. c
4. f	

b)

1. c	4. a
2. f	5. b
3. d	6. e

H.

2. ficha	7. quanto
3. erro	8. alérgica
4. baixa	9. contra
5. gripe	10. efeito
6. alta	

I.

2. pálida	5. descansado
3. asneira	6. cirurgia
4. controlar	

J.

2. O João pediu à Ana para ela não cortar o cabelo.
3. A Dra. Júlia mandou a D. Teresa deitar aqueles papéis fora.
4. O diretor pediu à Sara para lhe traduzir aquele documento.
5. O Nuno disse à Cátia para ela não o chatear naquele momento.
6. A mãe pediu aos rapazes para arrumarem o quarto.
7. O pai disse ao Afonso para ele não ter medo do cão.
8. O médico pediu à D. Lúcia para ela não olhar para trás.
9. O Luís disse ao Tiago para ele vender a casa da mãe dele.

K.

2. c	6. d
3. h	7. f
4. g	8. b
5. a	

UNIDADE 26

A.

Horizontal:	*Vertical:*
5. clube	1. campeão
8. derrota	2. equipa
9. bola	3. treinador
12. modalidade	4. vitória
13. baliza	6. medalha
14. corrida	7. golo
	10. empate
	11. adepto

B.

1. Hóquei no gelo	5. Ténis
2. Maratona	6. Esqui
3. Remo	7. Vela
4. Basquetebol	

C.

2. e	5. g
3. f	6. a
4. b	7. c

D.

2. carregado	6. puxar
3. esticar	7. atirar
4. segurar	8. agarrar
5. saltar	9. empurrar

E.

2. A nossa equipa não foi capaz de ganhar este jogo.
3. O marido da Anastásia não liga nada a futebol.
4. Este jogador marcou três golos num só jogo.
5. Os bilhetes para o jogo de sábado já estão esgotados.

F.

2. Foi a Ana que escolheu este restaurante./Quem escolheu este restaurante foi a Ana.
3. É você que fala sempre muito mal da diretora./Quem fala sempre muito mal da diretora é você.
4. Foi a Ana que não desligou o telemóvel no avião./Quem não desligou o telemóvel no avião foi a Ana.
5. É este homem que estaciona sempre no meu lugar./Quem estaciona sempre no meu lugar é este homem.
6. Foste tu que prometeste que ias ajudar-me./Quem prometeu que ia ajudar-me foste tu.
7. Incomoda-me é a falta de respeito pelos idosos./O que me incomoda é a falta de respeito pelos idosos.

G.

2. lá
3. cá
4. lá
5. lá

6. Cá
7. lá
8. Cá

UNIDADE 27

A.

2. Lamento que ninguém tenha dinheiro para te emprestar.
3. Espero que o novo filme de Woody Allen estreie em breve.
4. A Ana quer que o diretor aumente os salários.
5. Duvido que sejas capaz de levantar este peso.
6. Agradeço que arrumes as meias na gaveta!
7. O diretor quer que o Luís envie esta carta hoje.
8. O médico duvida que estes comprimidos baixem a febre.
9. Preferimos que não construam nada em frente da nossa casa.
10. Lamento que a Rita se sinta tão mal!
11. Receio que as batatas ainda não estejam cozidas.
12. Não quero que vocês me interrompam.
13. Peço-te que pares de chorar!
14. Duvido que a Ana case contigo.
15. Queres que rale as cenouras?
16. Os pais esperam que a Ana arranje emprego em breve.

B.

2. a
3. d
4. f

5. c
6. b

C.

2. proprietário
3. inquilino
4. senhorio
5. câmaras
6. renda
7. arrendamento; caução

8. ordenado
9. segurança
10. residência
11. seguro
12. fixa
13. cataratas

D.

2. comparar
3. deve
4. metas

5. organizar
6. desconfia
7. arrendar

E.

2. No
3. Por

4. em
5. Por

F.

2. condições
3. emergência
4. esplanada
5. finanças
6. seguranças

7. confusões
8. desafio
9. Porém
10. despedida

G.

2. bonde (elétrico)
3. ônibus (autocarro); sorvete (gelado)
4. tela (ecrã); celular (telemóvel)
5. trem (comboio)
6. café da manhã (pequeno-almoço)
7. geladeira (frigorífico)
8. banheiros (casas de banho)

UNIDADE 28

A.

2. Embora esta ideia não lhe agrade, a Sara tem de vender a casa.
3. Embora me dê mal com a Susana, quero convidá-la para a festa.
4. Embora a Ana tenha quatro filhos, quer ficar grávida de novo.
5. Embora esta equipa tenha bons jogadores, não consegue vencer nenhum jogo.
6. Embora tenhas um carácter muito difícil, eu não consigo deixar de gostar de ti.
7. Embora o Marco tenha sempre muito cuidado, constipa-se com facilidade.
8. Embora haja um mercado perto da sua casa, a Rita compra fruta no supermercado.
9. Embora carregue o telemóvel todos os dias, está sempre sem bateria.
10. Embora a Sofia passe imenso tempo na praia, a sua pele continua pálida.

C.

2. vez
3. faltava
4. Deixa
5. nada

6. Bem
7. servido
8. importa/interessa
9. mal

D.

2. fazer
3. dar
4. fazer
5. dar
6. fazem
7. dá
8. dar
9. Faz

10. dá
11. faz
12. deu
13. deu
14. Dá
15. deu
16. fazer

E.

2. Não digas que não te avisei!
3. Ontem, não pus o pé fora de casa.
4. Não será melhor mudares de assunto?
5. Realmente, tu não estás bom da cabeça!
6. Tenta não ligar ao que eles dizem.
7. Temos de pagar esta conta. Que remédio!
8. Basta falar com o chefe para resolver este problema.

F.

2. assustou
3. admitir
4. bastam
5. entornou
6. incomodar

7. ignorou
8. ofendida
9. calha
10. educar

PORTUGUÊS EM AÇÃO 7

A.

2. inscrever
3. informar
4. pagou
5. manter

6. participar
7. consultar
8. tornou
9. pretende

B.

2. e
3. b

4. a
5. d

C.

2. Em; aos
3. de; em
4. à
5. ao

GLOSSÁRIO

Este glossário é composto pelas palavras e expressões introduzidas neste nível B1. As palavras e expressões dos níveis A1 e A2 não fazem parte deste glossário.

PORTUGUÊS	INGLÊS	ESPANHOL	FRANCÊS	MANDARIM
abandonar	to abandon	abandonar	abandonner	放弃
abdominal	abdominal	abdominal	abdominal	腹部的
abertura, a	opening	apertura	ouverture	开放
aborrecido	boring	aburrido	ennuyant	无聊的
absoluto	absolute	absoluto	absolu	绝对的
abusar	to abuse	abusar	abuser	滥用
acabar por	to end up (doing something)	acabar	finir par	最终
ação, a	action	acción	action	动作
aceitar	to accept	aceptar	accepter	接受
acertar	to hit (on the answer)	acertar	ajuster	猜中
acessível	accessible	accesible	accessible	可到达的
acompanhar	to accompany	acompañar	accompagner	伴随
de acordo com	in accordance with	de acuerdo con	conformément à	根据
açoriano, o	Azorean	de las Islas Azores	açorien	亚速尔群岛（人）的
acreditar (em)	to believe (in)	creer (en)	croire (en)	相信
acrescentar	to add	añadir	ajouter	添加
adaptação, a	adaptation	adaptación	adaptation	适应
adepto, o	fan	adepto	partisan	支持者，球迷
adequado	suitable	adecuado	approprié	适合的
adiar	to postpone	aplazar	différer	延期，推迟
admitir	to admit	admitir	admettre	承认
adolescente, o/a	teenager	adolescente	adolescent	青少年
adormecer	to fall asleep	quedarse dormido	s'endormir	睡着
afinal	after all, in the end	al final	finalement	毕竟
aflito	worried, distressed	afligido	inquiet	忧愁的
agarrar	to grab	agarrar	agripper	抓住
agenda, a	diary	agenda	agenda	議事日程
agente, o/a	agent	agente	agente	代理人
agente (da polícia), o/a	(police) officer	oficial de policía	agent (de police)	警官
agradar	to please	agradar	plaire	讨好
agradecer	to thank	agradecer	remercier	感谢
agrafador, o	stapler	grapadora	agrafeuse	订书机
agressivo	aggressive	agresivo	agressif	侵略性的，进取的
agricultor, o	farmer	agricultor	agriculteur	农民
aguaceiros, os	showers	aguaceros	averses	骤雨
aguardar	to hold on, to wait	aguardar	attendre	等待
aguentar	to (with)stand	aguantar	supporter	忍受
ainda por cima	moreover	encima	de plus	此外
ajudante, o/a	helper	ayudante	assistant	助手
alcunha, a	nickname	apodo	surnom	绰号
alegria, a	joy	alegría	joie	欢乐
além de	besides	además de	en plus de	除…外

PORTUGUÊS	INGLÊS	ESPANHOL	FRANCÊS	MANDARIM
alface, a	lettuce	lechuga	laitue	生菜
algarvio	Algarvian	de Algarve	algarvien	阿尔加维（人）的
aliás	as a matter of fact	mejor dicho	d'ailleurs	事实上
álibi, o	alibi	coartada	alibi	不在场证明
alimentos, os	food	alimentos	aliments	食物
aliviar	to relieve	aliviar	soulager	缓解
altitude, a	altitude	altitud	altitude	海拔高度
alto-mar, o	high seas	alta mar	haute mer	公海
aluguer, o	rent	alquiler	location, loyer	租金
amante, o/a	lover	amante	amant	爱人
ambicioso	ambitious	ambicioso	ambitieux	有雄心的
amizade, a	friendship	amistad	amitié	友谊
análise, a	analysis	análisis	analyse	分析
anexo, o	attachment	anexo	annexe	附件
animal de estimação, o	pet	mascota	animal de compagnie	宠物
ansioso	anxious	ansioso	anxieux	焦虑的
com antecedência	in advance	con antelación	à l'avance	提前
anterior	previous	anterior	précédent	以前的
antes da hora	ahead of time	antes de la hora	avant l'heure	提前
antibiótico, o	antibiotic	antibiótico	antibiotique	抗生素
anunciar	to announce	anunciar	annoncer	公布
aparelho, o	device	aparato	appareil	设备
aperceber-se (de)	to realise	percatarse (de)	s'apercevoir (de)	意识到
apesar de	in spite of	a pesar de	malgré	虽然
apitar	to honk	tocar la bocina	klaxonner	吹口哨
apoiar	to support	apoyar	soutenir	支持
apoio, o	support	apoyo	soutien	支持
apresentação, a	presentation	presentación	présentation	介绍
apresentar	to present	presentar	présenter	介绍
apropriado	appropriate	apropiado	approprié	合适的
aproveitar	to enjoy, to take advantage	aprovechar	profiter	得益于，利用
aproximar-se (de)	to approach	aproximarse (a)	s'approcher (de)	接近
aquecer	to warm up, to heat up	calentar	réchauffer	加热
aquecimento, o	heating, warm-up	calefacción, calentamiento	chauffage, échauffement	暖气设备，热身
aranha, a	spider	araña	araignée	蜘蛛
arder	to burn	arder	brûler	燃烧
areia, a	sand	arena	sable	沙子
armazém, o	warehouse	almacén	entrepôt	仓库
arquitetura, a	architecture	arquitectura	architecture	建筑
arranjo, o	fixing	arreglo	arrangement	修理
arredores, os	outskirts	alrededores	alentours	郊区
arrendamento, o	rental	arrendamiento	location	租赁
arrendar	to rent, to let	arrendar	louer	出租
arrepender-se (de)	to regret	arrepentirse (de)	regretter	懊悔
artigo, o	article	artículo	article	文章
asa, a	wing	ala	aile	翅膀
asneira, a	stupidity	tontería	bêtise	蠢事
aspeto, o	appearance	aspecto	aspect	面貌，外观
aspirador, o	vacuum cleaner	aspirador	aspirateur	吸尘器
assaltar	to rob	asaltar	voler	抢劫
assalto, o	robbery	asalto	vol	抢劫
assassino, o	killer	asesino	assassin	杀手
assim-assim	so-so	así así	comme si comme ça	一般般
assim que	as soon as	en cuanto	dès que	一…就…
assistência técnica, a	technical support	asistencia técnica	assistance technique	技术协助

PORTUGUÊS	INGLÊS	ESPANHOL	FRANCÊS	MANDARIM
assistente de bordo, a	flight attendant (female)	aeromoza	hôtesse de l'air	（女）空中服务员
associar	to associate, to connect	asociar	associer	关联，连接
assunto, o	matter	asunto	sujet	事件，问题
assustado	scared	asustado	effrayé	恐惧的
assustar	to scare	asustar	effrayer	吓
atacador, o	shoelace	cordón	lacet	鞋带
Atenção!	Attention!	¡Atención!	Attention!	注意！
prestar atenção	to pay attention	prestar atención	faire attention	注意
atendimento, o	service	atención	accueil	服务
atingir	to hit, to reach	alcanzar	atteindre	到达
atirar	to throw	tirar	lancer	投掷
atitude, a	attitude	actitud	attitude	态度
atividade, a	activity	actividad	activité	活动
atleta, o/a	athlete	atleta	athlète	运动员
atraente	attractive	atractivo	attirant, joli	有吸引力的
através	through	a través	à travers	通过
atropelar	to run over	atropellar	écraser	撞倒
atualmente	currently	actualmente	actuellement	目前
atum, o	tuna fish	atún	thon	金枪鱼
audiência, a	audience	audiencia	audience	观众
auditório, o	auditorium	auditorio	auditorium	礼堂
aumentar	to increase, to raise	aumentar	augmenter	增加
ausência, a	absence	ausencia	absence	缺席
ausente	absent	ausente	absent	缺席
autoestrada, a	motorway	autopista	autoroute	高速公路
automóvel, o	car	automóvil	automobile	汽车
avaliação, a	assessment	evaluación	évaluation	评核
ave, a	bird	ave	oiseau	鸟
aventura, a	adventure	aventura	aventure	冒险
azar, o	bad luck	mala suerte	malchance	倒霉
baixar	to lower, to turn down	bajar	baisser	降低
balão, o	balloon	globo	ballon	气球
balde, o	bucket	balde	seau	桶
baleia, a	whale	ballena	baleine	鲸鱼
baliza, a	goal (football)	portería	balise	球门（足球）
balneários, os	locker rooms	vestuarios	vestiaires	更衣室
banco, o	bench, seat	banco	siège, banc	长凳
banda sonora, a	soundtrack	banda sonora	bande originale	配乐
banho de imersão, o	immersion bath	baño de inmersión	bain	浸浴
basear(-se) em	to be based on	basarse (en)	(se) reposer sur	基于
basquetebol, o	basketball	baloncesto	basketball	篮球
bastar	to be enough	bastar	suffire	使足够
bater (em)	to hit	chocar (con)	frapper	撞击，打
bateria, a	battery	batería	batterie	电池
belo	beautiful	bello	beau	美丽的
bem-disposto	in a good mood	bien dispuesto	de bonne humeur	情绪好的
bem-educado	well-mannered	educado	bien élevé	教养良好的
Bem feito!	It serves (you) right!	¡Te está bien empleado!	Bien fait!	活该
bem passado	well done	bien hecho	bien cuit	全熟（牛排）
biografia, a	biography	biografía	biographie	传记
biográfico	biographical	biográfico	biographique	传记体
biologia, a	biology	biología	biologie	生物学
bisavó, a	great-grandmother	bisabuela	arrière-grand-mère	曾祖母
bisavô, o	great-grandfather	bisabuelo	arrière-grand-père	曾祖父
boi, o	ox	buey	bœuf	牛

PORTUGUÊS	INGLÊS	ESPANHOL	FRANCÊS	MANDARIM
bola, a	ball	pelota	balle	球
bolsa, a	scholarship	beca	bourse	奖学金
bolseiro, o	scholarship student	becario	boursier	奖学金获得者
bombeiro, o	firefighter	bombero	pompier	消防员
borboleta, a	butterfly	mariposa	papillon	蝴蝶
borracha, a	rubber, eraser	goma, borrador	caoutchouc, gomme	橡胶，橡皮
borrego, o	lamb	borrego	agneau	羊肉
em breve	soon	en breve	bientôt	不久
brilhante	brilliant	brillante	brillant	精彩的
brincar	to play	jugar	jouer	玩
Cá para mim...	In my opinion...	Para mí...	À mon avis...	在我看来…
cabeleireiro, o	hairdresser	peluquero	coiffeur	理髮师
cabo, o	cable	cable	câble	电缆
cabra, a	goat	cabra	chèvre	山羊
caçar	to hunt	cazar	chasser	狩猎
cada	each	cada	chaque	每个
cada vez (que)	each time (that)	cada vez (que)	à chaque fois (que)	每一次
calculadora, a	calculator	calculadora	calculatrice	计算器
caldo, o	broth	caldo	bouillon	浓汤
calhar	to fall (on a Saturday)	caer	tomber (un samedi)	恰巧，恰逢其时
calma, a	calm	calma	calme	平静的
camarão, o	shrimp, prawn	camarón	crevette	虾，大虾
câmaras de vigilância, as	surveillance cameras	cámaras de vigilancia	caméras de surveillance	监控摄像头
camião, o	lorry	camión	camion	卡车，货车
camionista, o/a	lorry driver	camionero	camionneur	卡车司机，货车司机
campeão, o	champion	campeón	champion	冠军
canal, o	channel	canal	canal	频道
canalizador, o	plumber	fontanero	plombier	水管工
candidatar-se (a)	to apply (for)	postularse (a)	postuler (à)	申请
capa, a	cover	tapa	couverture	封面
capacidade, a	capacity	capacidad	capacité	能力
capaz (de)	able (to)	capaz (de)	capable	能够，有能力的
capítulo, o	chapter	capítulo	chapitre	章节
carácter, o	character	carácter	caractère	性格
característica, a	feature	característica	caractéristique	特点
cara-metade, a	better half	media naranja	(sa) moitié	配偶
carregador, o	charger	cargador	chargeur	充电器
carregar (a bateria)	to charge (a battery)	cargar (la batería)	recharger (la batterie)	充电
cartão de cidadão, o	identity card	documento de identidad	carte du citoyen	居民身份证
carteirista, o/a	pickpocket	carterista	pickpocket	扒手
carteiro, o	postman	cartero	facteur	邮差
casamento, o	marriage	matrimonio	mariage	婚姻
caseiro	homemade	casero	fait maison	自制的
no caso de	in case of	en caso de	en cas de	假如，万一
caso, o	case	caso	cas	事件，情况
castanhas, as	chestnuts	castañas	châtaignes	板栗
cataratas, as	waterfalls	cataratas	chutes	瀑布
categoria, a	category	categoría	catégorie	类别
caução, a	deposit	caución	caution	保证金
causa, a	cause	causa	cause	原因
causar	to cause	causar	causer	引起
cavalo, o	horse	caballo	cheval	马
cebola, a	onion	cebolla	oignon	洋葱
celebridade, a	celebrity	celebridad	célébrité	名人
cenoura, a	carrot	zanahoria	carotte	胡萝卜

PORTUGUÊS	INGLÊS	ESPANHOL	FRANCÊS	MANDARIM
chama, a	flame	llama	flamme	火焰
chamar	to call	llamar	appeler	呼叫
chapéu de sol, o	beach umbrella	sombrilla	parasol	太阳伞
chapéu, o	hat	sombrero	chapeau	帽子
chateado	upset	enfadado	embêté	懊恼
chatear	to upset	molestar	embêter	使烦恼
chatice, a	drag, nuisance	pesadez	embêtement	拖拉，累赘
Que chatice!	What a drag!/It sucks!	¡Qué mal!	Ça craint!/Quelle barbe!	真糟糕！真讨厌！
chegar à conclusão	to come to a conclusion	llegar a la conclusión	arriver à une conclusion	得出结论
cheia, a	flood	crecida	inondation	水灾
cheirar (a)	to smell (of)	oler (a)	sentir (quelque chose)	闻，散发气味
cheiro, o	smell	olor	odeur	气味
chileno	Chilean	chileno	chilien	智利（人）的
chouriço, o	chorizo	chorizo	chorizo	香肠
cidadão, o	citizen	ciudadano	citoyen	公民
ciência, a	science	ciencia	science	科学
cientista, o/a	scientist	científico	scientifique	科学家
cigarras, as	cicadas	cigarras	cigales	蝉
em cima da hora	at short notice	justo a tiempo	à la dernière minute	在最后一刻
cipriota	Cypriot	chipriota	chypriote	塞浦路斯（人）的
cirurgia, a	surgery	cirugía	chirurgie	手术
clara, a	egg white	clara	blanc d'oeuf	蛋白
clínica, a	clinic	clínica	clinique	诊所
cobrar	to charge	cobrar	faire payer	收费
cobrir	to cover	cubrir	couvrir	覆盖
coelho, o	rabbit	conejo	lapin	兔子
cogumelo, o	mushroom	champiñón	champignon	蘑菇
coincidência, a	coincidence	coincidencia	coïncidence	巧合
cola, a	glue	cola	colle	胶水
colaborar	to collaborate	colaborar	collaborer	合作
coleção, a	collection	colección	collection	汇集
colónia, a	colony	colonia	colonie	殖民地
colorido	colourful	colorido	coloré	颜色丰富的
comando, o	remote control	mando	télécommande	遥控器
comédia, a	comedy	comedia	comédie	喜剧
comissário de bordo, o	flight attendant (male)	auxiliar de vuelo	steward	（男）空中服务员
companheiro, o	partner	compañero	compagnon	同伴
em comparação com	in comparison to	en comparación con	par rapport à	与…相比
comparar	to compare	comparar	comparer	比较
competência, a	skill	competencia	compétence	技能/能力
completo	full	completo	complet	完整的
complicado	complicated	complicado	compliqué	复杂的
comportamento, o	behaviour	comportamiento	comportement	行为
compra, a	buy	compra	achat	购买
compreender	to understand	comprender	comprendre	了解
compreensão, a	understanding	comprensión	compréhension	理解
comprimento, o	length	longitud	longueur	长度
comum	common	común	commun	常见的
em comum	in common	en común	en commun	共同的
comunicação, a	communication	comunicación	communication	沟通
comunidade, a	community	comunidad	communauté	社区
concordar	to agree	concordar	être d'accord	同意
concurso, o	contest	concurso	concours	竞赛
condição, a	condition	condición	condition	条件
condutor, o	driver	conductor	conducteur	司机

PORTUGUÊS	INGLÊS	ESPANHOL	FRANCÊS	MANDARIM
conferência, a	conference	conferencia	conférence	会议，研讨会
confessar	to confess	confesar	confesser	承认
confiar (em)	to trust (in)	confiar (en)	faire confiance (à)	信任
confirmar	to confirm	confirmar	confirmer	确认
confusão, a	confusion	desorden	confusion	混乱
confuso	confused	confundido	confus	困惑的
congelador, o	freezer	congelador	congélateur	(冰箱) 冷冻室
conhecimento, o	knowledge	conocimiento	connaissance	知识
cônjuge, o	spouse	cónyuge	conjoint	配偶
constipação, a	common cold	resfriado	rhume	感冒
construção, a	construction	construcción	construction	建筑工程
construção civil, a	building sector	construcción civil	génie civil	建筑部门
construir	to build	construir	construire	建造
consultar	to consult	consultar	consulter	查阅（字典）
consumir	to consume	consumir	consommer	消费，消耗
em conta	affordable	barato	pas trop cher	实惠
por conta própria	self (employed)	por cuenta propia	à son propre compte	自雇
contabilista, o/a	accountant	contable	comptable	会计师
contacto, o	touch, contact	contacto	contact	接触，联系
contagem, a	counting	cuenta	comptage	计数
contar	to count	contar	compter	数数
contar (com)	to count (on)	contar (con)	compter (sur)	指望
contemporâneo	contemporary	contemporáneo	contemporain	当代的
conter	to contain	contener	contenir	包含
continente, o	continent	continente	continent	大陆
contra	against	contra	contre	反对
ao contrário de	unlike	al contrario de	contrairement à	相反
contraste, o	contrast	contraste	contraste	对比
contratar	to hire	contratar	embaucher	聘请
contrato, o	contract	contrato	contrat	合同
contribuir	to contribute	contribuir	contribuer	贡献
controlador, o	control freak	controlador	contrôleur	控制狂
controlar	to control	controlar	contrôler	控制
contudo	however	sin embargo	toutefois	然而
convencido	conceited	presumido	convaincu	自负的
convívio, o	coexistence, contact	convivencia	convivialité	交往，接触
coragem, a	courage	coraje	courage	勇气
corajoso	courageous	corajoso	courageux	勇敢的
a cores	coloured	de colores	en couleurs	彩色
correspondência, a	mail	correspondencia	correspondance	通信往来
corresponder	to match	corresponder	correspondre	符合，对应
corrida, a	run, race	carrera	course	跑步
cortar	to cut	cortar	couper	切割
cortiça, a	cork	corcho	liège	软木
cortina, a	curtain	cortina	rideau	窗帘
coruja, a	owl	lechuza	hibou	猫头鹰
cotovia, a	lark	alondra	alouette	云雀
couve, a	cabbage	col	chou	卷心菜
cozer	to cook	cocer	cuire	煮
cozinheiro, o	cook	cocinero	cuisinier	厨师
crença, a	belief	creencia	croyance	信念
criar	to create	crear	créer	创造
criativo	creative	creativo	créatif	创新的
crime, o	crime	crimen	crime	犯罪行为
criminalidade, a	criminality	criminalidad	criminalité	罪案

PORTUGUÊS	INGLÊS	ESPANHOL	FRANCÊS	MANDARIM
crítica, a	criticism	crítica	critique	批评
criticar	to criticise	criticar	critiquer	批评
cru	raw	crudo	cru	生的
cruzar	to cross	cruzar	croiser	使相交叉
cubo, o	cube	cubo	cube	小方块
cuidado, o	care, caution	cuidado	soin	小心, 谨慎
cuidar	to take care	cuidar	prendre soin	注意, 照料
cujo	whose	cuyo	dont	他/她/它/牠的
culpa, a	fault, blame	culpa	faute	过错, 责怪
cultural	cultural	cultural	culturel	文化的
cumprimentar	to greet	saludar	saluer	打招呼, 问候
curioso	curious	curioso	curieux	好奇的
currículo, o	CV	currículum	curriculum	履历
curva, a	turn, bend	curva	virage, tournant	弯, 曲线
custo, o	cost	coste	coût	价钱, 费用
dado, o	dice	dado	dé	骰
dar aulas	to teach	dar clases	donner des cours	教课
dar fome	to make hungry	dar hambre	donner faim	使饥饿
dar jeito	to suit, to be handy	venir bien	se montrer utile, convenir à	切合, 方便
dar um passeio	to take a walk	dar un paseo	se promener	散步
dar um pontapé	to kick	dar un puntapié	donner un coup de pied	踢
dar uma volta	to take a walk	dar una vuelta	se promener	散步
dar vontade de	to make somebody feel like	dar ganas de	donner envie de	让人想…
dar-se (com)	to get on (with)	llevarse (con)	s'entendre (avec)	与（某人）友好
década, a	decade	década	décennie	十年
dececionado	disappointed	decepcionado	déçu	失望的
decisão, a	decision	decisión	décision	决定
dedicado	dedicated	dedicado	dévoué	用于
defeito, o	flaw	defecto	défaut	不足, 缺点
deitar fora	to throw away	tirar	jeter	丢掉
deixar cair	to drop	dejar caer	faire/laisser tomber	摔
Deixe estar!	That's OK!	¡No se preocupe!	Laissez!	没关係!
delicado	delicate	delicado	délicat	优雅的
demais	too (big), too much	demasiado	trop	过多地
demasiado	too (big), too much/many	demasiado	de trop	过度的, 过量的
demolir	to demolish	demoler	démolir	拆除
depósito, o	(fuel) tank	depósito	réservoir	油箱
depressa	quickly	deprisa	vite	快速地
deprimido	depressed	deprimido	déprimé	郁闷的
derrota, a	defeat	derrota	défaite	击败
desabafar	to get something off one's chest	desahogar	se confier	倾诉
desafio, o	challenge	desafío	défi	挑战
desaparecer	to disappear	desaparecer	disparaître	消失
desarrumar	to mess up	desordenar	mettre le désordre	使混乱, 搅乱
descarregar	to download	descargar	décharger	下载
desconfiado	suspicious, leery	desconfiado	méfiant	多疑的
desconfiar	to suspect, to distrust	desconfiar	se méfier	怀疑, 不信任
descongelar	to defrost	descongelar	décongeler	解冻
desconhecer	to not know	desconocer	ignorer	不认识, 不知道
descontrair	to relax	relajar	se détendre	放松
descrever	to describe	describir	décrire	描述
descrição, a	description	descripción	description	描述
desculpar	to excuse	disculpar	excuser	原谅, 道歉
desejar	to wish	desear	souhaiter	希望, 想要
desempenhar	to perform, to play	desempeñar	jouer	扮演, 表演

PORTUGUÊS	INGLÊS	ESPANHOL	FRANCÊS	MANDARIM
desempregado	unemployed	desempleado	chômeur	无业的
desemprego, o	unemployment	desempleo	chômage	失业
desesperado	desperate	desesperado	désespéré	绝望的
desgraça, a	disgrace	desgracia	malheur	不幸, 厄运
desiludido	disappointed	desilusionado	déçu	失望的
desistir (de)	to give up	desistir (de)	renoncer (à)	放弃
desmaiar	to faint	desmayar	s'évanouir	昏厥
desmarcar	to cancel	cancelar	décommander	取消
despedida, a	saying goodbye	despedida	dire au revoir	告别
despedir-se (do emprego)	to quit (a job)	despedirse (del empleo)	démissionner (de)	辞职
desportivo	sports	deportivo	sportif	体育
desportos de inverno, os	winter sports	deportes de invierno	sports d'hiver	冬季运动
destino, o	destination	destino	destination	目的地
destruído	destroyed	destruido	détruit	被毁坏的
destruir	to destroy	destruir	détruire	毁坏
desvantagem, a	disadvantage	desventaja	désavantage	不便, 坏处
deter	to arrest	detener	détenir	逮捕
dever	to owe	deber	devoir	欠
Por amor de Deus!	For God's sake!	¡Por amor de Dios!	Nom de dieu!	看在上帝的份上!
devido a	due to	debido a	à cause de	由于, 因为
dia útil, o	weekday	día hábil	jour ouvré	工作日, 营业日
diário, o	daily (newspaper)	diario	quotidien	日报
dificuldade, a	difficulty	dificultad	difficulté	困难
dinamarquês	Danish	danés	danois	丹麦（人）的
direção, a	direction	dirección	direction	方向
em direção a	towards	en dirección a	vers (direction)	朝向
direito	straight	derecho	droit	直的
direito, o	right	derecho	droit	权利
diretor, o	director	director	directeur	主管, 董事
disciplina, a	subject	asignatura	matière	学科, 科目
discussão, a	argument	discusión	discussion	议论, 争论
disparate, o	nonsense	disparate	bêtise	胡闹
disponibilidade, a	availability	disponibilidad	disponibilité	可用性
disponível	available	disponible	disponible	可利用的
distante	distant	lejano	distant	遥远的
distinguir	to distinguish	distinguir	distinguer	区分
dobrado	dubbed	doblado	doublé	配音的
docente, o/a	teacher	docente	enseignant	教师
documentário, o	documentary	documental	documentaire	纪录片
documento, o	document	documento	document	文件, 证件
doença, a	disease	enfermedad	maladie	疾病
doméstico	domestic	doméstico	domestique	家养的
dossiê, o	file	dosier	dossier	档案
dourado	golden	dorado	doré	金色的
dragão, o	dragon	dragón	dragon	龙
drama, o	drama	drama	drame	戏剧
duna, a	dune	duna	dune	沙丘
duro	hard	duro	dur	困难的
dúvida, a	doubt	duda	doute	疑问
duvidar	to doubt	dudar	douter	质疑
É a minha vez!	It's my turn!	¡Me toca a mí!	C'est mon tour!	轮到我了!
É que...	The thing is, ...	Es que...	C'est que...	这是因为
É servido?	Would you like some?	¿Le sirvo?	Vous en voulez?	您想要吗?
ecografia, a	ultrasound	ecografía	échographie	超音波检查
ecrã, o	screen	pantalla	écran	屏幕

PORTUGUÊS	INGLÊS	ESPANHOL	FRANCÊS	MANDARIM
educar	raise	educar	éduquer	教育，培养
efeitos especiais, os	special effects	efectos especiales	effets spéciaux	特殊效果
elaborar	to prepare	elaborar	élaborer	拟订
elefante, o	elephant	elefante	éléphant	大象
elegante	elegant	elegante	élégant	优雅的
elenco, o	cast	elenco	distribution	演员表
elevado	high	elevado	élevé	高的
elogiar	to praise	elogiar	faire un éloge	赞美
embora	although	aunque	bien que	虽然
emergência, a	emergency	emergencia	urgence	紧急情况
emigração, a	emigration	emigración	émigration	移民
emigrante, o/a	emigrant	emigrante	émigrant	移民
emigrar	to emigrate	emigrar	émigrer	移居国外
emissão, a	issuing	emisión	émission	发行，发布
emoção, a	emotion	emoción	émotion	情感
emocionante	exciting	emocionante	émotionnant	激动人心的
empate, o	tie, draw	empate	égalité	平局
empurrar	to push	empujar	pousser	推
encantar	to delight	encantar	enchanter	迷住，使心醉
encerramento, o	closing	cierre	fermeture	关闭
encher	to fill	llenar	remplir	装满
encontrar-se (em)	to be located	encontrarse (en)	se trouver (quelque part)	位于
endereço, o	address	dirección	adresse	地址
energia, a	energy	energía	énergie	精力
enfim	anyway	en fin	enfin	总之
enganar	to cheat	engañar	tromper, tricher	欺骗
enganar-se (em)	to get something wrong	equivocarse	se tromper	弄错
engano, o	mistake	equivocación	tromperie	错误
engarrafamento, o	traffic jam	embotellamiento	embouteillage	交通堵塞
engomar	to iron	planchar	repasser	熨
engraçado	funny, interesting	gracioso	drôle	有趣的
enquanto	while	mientras	tant que	当…时
por enquanto	for now	por el momento	pour l'instant	目前，现在
ensino, o	teaching	enseñanza	enseignement	教育，教学
entornar	to spill	derramar	renverser	使溢出
entregar	to deliver, to hand	entregar	remettre	递交，传送
entretanto	meanwhile	mientras tanto	entretemps	然而
entretenimento, o	entertainment	entretenimiento	divertissement	娱乐
entrevistador, o	interviewer	entrevistador	interviewer	面试官，访谈者
entupido	stuffy (nose)	entupido	bouché	堵塞(鼻塞)
entusiasmado	excited	entusiasmado	enthousiaste	兴奋的
episódio, o	episode	episodio	épisode	集
época, a	time	época	saison	时间，季节
equipa, a	team	equipo	équipe	团队，球队
equipado	equipped	equipado	équipé	配备
errar	to make a mistake	errar	commettre une erreur	犯错
erro, o	mistake	error	erreur	错误
escaldão, o	sunburn	quemadura de sol	coup de soleil	晒伤
escolha, a	choice	elección	choix	选择
escolher	to choose	elegir	choisir	选择，挑选
esconder(-se)	to hide	esconder	se cacher	躲藏
escorregar	to slip	resbalar	glisser	滑倒
escovar	to brush	cepillar	brosser	刷
escritor, o	writer	escritor	écrivain	作家
escultura, a	sculpture	escultura	sculpture	雕塑

PORTUGUÊS	INGLÊS	ESPANHOL	FRANCÊS	MANDARIM
escusar (de)	there's no need (to)	no ser necesario	inutile de	不必
esforço, o	effort	esfuerzo	effort	努力
esgotado	sold out	agotado	épuisé, tous vendus	售罄
espalhar-se (por)	to spread (over)	esparcirse (por)	se répandre	撒开, 散落
em especial	in particular	en especial	en particulier	尤其
especialista, o/a	specialist	especialista	spécialiste	专家
especiarias, as	spices	especia	épices	香料
espécie, a	species	especie	espèce	物种
espectador, o	viewer	espectador	spectateur	观众
à espera de	waiting for	a la espera de	attendre (quelque chose)	等候
esperança, a	hope	esperanza	espoir	希望
esperto	clever	inteligente	malin	聪明的
espetacular	amazing	espectacular	spectaculaire	出色的
espetáculo, o	show	espectáculo	spectacle	表演, 节目
espírito, o	spirit	espíritu	esprit	灵魂, 鬼怪
esplanada, a	outdoor part of a café	explanada	terrasse	露天茶座
esposa, a	wife	esposa	épouse	妻子
Está uma delícia!	It's delicious!	¡Está exquisito!	C'est délicieux!	很美味!
estabilidade, a	stability	estabilidad	stabilité	稳定性
estágio, o	internship	prácticas	stage	实习
estar a bordo	to be on board	estar a bordo	être à bord	在船上, 在飞机上
estar alojado	to stay (in a hotel)	hospedarse	être logé, rester	留宿
estar arrependido	to regret	estar arrepentido	regretter	遗憾
estar de baixa	to be on sick leave	estar de baja	être en arrêt	休病假
estar deitado	to lie	estar acostado	être couché	躺着的
estar em cartaz	to be showing (at the cinema)	estar en cartel	à l'affiche	上映
estar em obras	to be undergoing works	estar en obra	être en travaux	正在施工
estar em ordem	to be in order	estar en orden	être en ordre	井然有序
estar em pé	to stand	estar de pie	être debout	站着的
estar grávida	to be pregnant	estar embarazada	être enceinte	怀孕
estar na fila	to queue	estar en la fila	faire la queue	排队
estar-se nas tintas (para)	to not care (about something)	importarle un bledo	s'en ficher de	不要 (为)…鸣两声喇叭 不在乎
Estás enganado!	You're wrong!	¡Estás equivocado!	Tu te trompes!	你错了!
estatísticas, as	statistics	estadísticas	statistiques	统计
estátua, a	statue	estatua	statue	雕像
estável	stable	estable	stable	稳定的
esticar	to stretch	estirar	étirer	拉伸
estilo, o	style	estilo	style	风格
estragado	gone bad, spoiled	estropeado	abîmé, tourné	腐坏的
estranho	strange	extraño	étrange	奇怪的
estrear	to come out, to be released	estrenar	sortir	初次展示
estreia, a	first night	estrella	la première	首演
estrelar os ovos	to fry eggs	freír los huevos	faire un œuf au plat	煎鸡蛋
estuário, o	estuary	estuario	estuaire	河口
estúdio, o	studio	estudio	studio	工作室
estudo, o	study	estudio	étude	学习
evento (desportivo), o	(sports) event	evento (deportivo)	événement (sportif)	(体育) 赛事
exagerado	exaggerated	exagerado	exagéré	夸张的
exagerar	to exaggerate	exagerar	exagérer	夸大
exatamente	exactly	exactamente	exactement	确切地
com exceção de	except for	a excepción de	excepté	例外
excelente	excellent	excelente	excellent	极好的
excêntrico	eccentric	excéntrico	excentrique	古怪的
excesso, o	excess	exceso	excès	超过, 过量
exclusivo	exclusive	exclusivo	exclusif	专门的

PORTUGUÊS	INGLÊS	ESPANHOL	FRANCÊS	MANDARIM
excursão, a	excursion	excursión	excursion	短途旅行
exemplar, o	copy	ejemplar	exemplaire	册，複本
exemplo, o	example	ejemplo	exemple	示例
exercício físico, o	physical exercise	ejercicio físico	exercice physique	体能锻练
exigente	demanding	exigente	exigeant	严格的
explicar	to explain	explicar	expliquer	解释
explorador, o	explorer	explorador	explorateur	探险家
extraordinário	extraordinary	extraordinario	extraordinaire	非凡的
fábrica, a	factory	fábrica	usine	工厂
facilmente	easily	fácilmente	facilement	容易，动辄
falante, o/a	speaker	hablante	locuteur	說…語言的人
falésia, a	cliff	acantilado	falaise	悬崖
falso	false	falso	faux	虚假的
falta, a	lack, absence	falta	absence	缺少，缺席
faltar	to be missing	faltar	manquer	缺少
faltar às aulas	to skip classes	faltar a clase	rater les cours	逃课
familiar, o	relative	familiar	familier	亲戚
fantástico	fantastic	fantástico	fantastique	极好的
farinha, a	flour	harina	farine	面粉
farol, o	lighthouse	faro	phare	灯塔
fartar-se (de)	to get fed up (with)	hartarse (de)	en avoir assez (de)	受够了
farto	fed up	harto	las	厌倦的
fascinante	fascinating	fascinante	fascinant	迷人的，引人入胜的
fascinar	to fascinate	fascinar	fasciner	吸引，迷住
fatura, a	invoice	factura	facture	发票
fazer a barba	to shave	afeitar	se raser	刮胡子
fazer contas	to do the maths	hacer las cuentas	faire les comptes	算账
fazer escala	to have a layover	hacer escala	faire escale	中途停留
fazer falta	to be missed	hacer falta	manquer	想念
fazer um favor (a alguém)	to do (someone) a favour	hacer un favor (a alguien)	rendre un service (à quelqu'un)	帮忙（某人）
fazer festas (em alguém)	to pet (someone)	hacer mimos (a alguien)	caresser (quelqu'un)	爱抚
fazer ideia (de)	to have an idea (of)	tener idea (de)	avoir une idée (sur)	有想法，知道
fazer impressão	to revolt, to horrify	dar impresión	atterrer, révolter	让人不安
fazer parte (de)	to be part (of)	formar parte (de)	faire partie (de)	成为…的一部分
fazer queixa (de)	to complain (of)	quejarse	porter plainte (contre)	投诉
fazer questão (de)	to make a point (of)	insistir (en)	insister (sur)	坚持
fazer sentido	to make sense	tener sentido	avoir un sens	合理
fazer uma cena	to make a scene	hacer una escena	faire une scène	大吵大闹
feitio, o	temper	carácter	tempérament	脾气
felicidade, a	happiness	felicidad	bonheur	幸福
feminino	female, feminine	femenino	féminin	女性化的
fenómeno, o	phenomenon	fenómeno	phénomène	现象
feriado, o	public holiday	festivo	férié	公共假期
ferido	injured	herido	blessé	受伤的
ferro de engomar, o	clothes iron	plancha	fer à repasser	熨斗
ferver	to boil	hervir	bouillir	沸腾
Fica para a próxima!	Next time maybe!	¡Quizás la próxima vez!	Ce sera pour la prochaine fois!	也许下一次！
ficar descansado	to rest assured	quedarse tranquilo	rester tranquille	放心
ficção científica, a	science fiction	ciencia ficción	fiction scientifique	科幻小说
ficha, a	form	ficha	fiche	表格
ficheiro, o	file	archivo	fichier	文件
fiel	loyal	fiel	fidèle	忠实的
filhote, o	boy, son	hijito	petit	兒子
por fim	lastly	por fin	finalement	最后
finanças, as	finances	finanzas	finances	财务

PORTUGUÊS	INGLÊS	ESPANHOL	FRANCÊS	MANDARIM
financeiro	financial	financiero	financier	财政的
fingir	to pretend	fingir	faire semblant	假装
fino	thin	fino	fin	薄的
fio, o	cable	hilo	fil	电线
física, a	physics	física	physique	物理学，物理
fita, a	(adhesive) tape	cinta	ruban adhésif	胶带
fixo	landline	fijo	fixe	固定的
fixo	permanent	fijo	fixe	永久的
flexível	flexible	flexible	flexible	灵活的
em flor	in blossom	en flor	en fleur	处于开花期
fluentemente	fluently	fluentemente	couramment	流利地
fofo	cute, soft	tierno, esponjoso	mignon, mou	可爱的，松软的
fogo, o	fire	fuego	feu	火
Foi sem querer!	I didn't mean it!	¡Fue sin querer!	Sans faire exprès!	我不是故意的！
folga, a	day off	descanso	congé	休假
folha, a	sheet	hoja	feuille	页，张(纸，书等)
folheto, o	leaflet	folleto	dépliant	传单，小册子
fonte, a	source	fuente	source	来源
fora do comum	uncommon	fuera de lo común	peu commun, rare	不常见
Força!	Go for it!	¡Fuerza!	Courage!	加油！
forma, a	form	forma	forme	形式，方式
formação académica, a	educational background	formación académica	formation académique	学术背景
formado (em)	trained (in)	licenciado (en)	formation (en)	受过…的培训
formador, o	trainer	profesor	formateur	导师
fotocópia, a	photocopy	fotocopia	photocopie	复印件
fotógrafo, o	photographer	fotógrafo	photographe	摄影师
fracasso, o	failure	fracaso	échec	失败
frase, a	sentence	frase	phrase	句子，短语
fraturar	fracture	fracturar	fracturer	骨折
frente e verso	front and back	frente y dorso	recto verso	正面和背面
frequência, a	frequency	frecuencia	fréquence	频率
frequentar	to attend	frecuentar	fréquenter	参加(课程)
frigideira, a	frying pan	sartén	poêle	煎锅
fritar	to fry	freír	frire	油炸，油煎
fruto, o	fruit	fruto	fruit	水果，果实
fumador, o	smoker	fumador	fumeur	抽烟者
fumo, o	smoke	humo	fumée	烟
funcionário público, o	civil servant	funcionario	fonctionnaire	公务员
fundar	to found	fundar	fonder	建立，建设
furacão, o	hurricane	huracán	ouragan	飓风
futuro, o	future	futuro	futur	将来
gaivota, a	seagull	gaviota	mouette	海鸥
galo, o	rooster	gallo	coq	公鸡
garantia, a	guarantee	garantía	garantie	保证
gargalhada, a	laugh	carcajada	rire aux éclats	笑
gasolina, a	petrol	gasolina	essence	汽油
gastronomia, a	gastronomy	gastronomía	gastronomie	美食
gaveta, a	drawer	cajón	tiroir	抽屉
de gema	genuine	de pura cepa	authentique	真正的，十足的
gémeo, o	twin	gemelo	jumeau	双胞胎
género, o	genre	género	genre	类型
genro, o	son-in-law	yerno	gendre	女婿
geografia, a	geography	geografía	géographie	地理
em geral	generally	en general	en général	一般来说，总的来说
Regra geral, ...	As a rule, ...	En general, ...	En règle générale, ...	通常…

PORTUGUÊS	INGLÊS	ESPANHOL	FRANCÊS	MANDARIM
gigante	giant	gigante	géant	巨大的
golfinho, o	dolphin	delfín	dauphin	海豚
golo, o	goal (football)	gol	but	入球（足球）
gordura, a	fat	grasa	graisse	脂肪
gorjeta, a	tip	propina	pourboire	小费
gosto, o	like, taste	gusto	goût	爱好
gota, a	drop	gota	goutte	滴
gozar (com)	to tease	tomar el pelo (a)	se moquer (de)	取笑，戏弄
graças a	thanks to	gracias a	grâce à	感谢，得助于
grisalho	greyish	canoso	poivre et sel	白发
grito, o	shout	grito	cri	叫喊
grosso	thick	grueso	épais	厚的
grupo, o	group	grupo	groupe	组，团体
guarda-chuva, o	umbrella	paraguas	parapluie	雨伞
guerra, a	war	guerra	guerre	战争
habitação, a	housing	viviendas	logement	住房
habitante, o/a	inhabitant	habitante	habitant	居民
habitar	to dwell	habitar	habiter	居住
hábito, o	habit	hábito	habitude	习惯
helicóptero, o	helicopter	helicóptero	hélicoptère	直升机
hilariante	hilarious	hilarante	hilarant	令人捧腹的
holandês	Dutch	holandés	hollandais	荷兰（人）的
hóquei (no gelo), o	(ice) hockey	hockey (sobre hielo)	hockey (sur glace)	冰球
na hora	while-you-wait	inmediatamente	sur le champ	即时
a horas	on time	a tiempo	à l'heure	准时
horas extra, as	overtime	horas extras	heures supplémentaires	加班
horóscopo, o	horoscope	horóscopo	horoscope	星座，生肖
hospitalidade, a	hospitality	hospitalidad	hospitalité	热情好客
humidade, a	humidity	humedad	humidité	湿度，湿气
humor, o	humour, mood	humor	humeur	幽默，心情
iate, o	yacht	yate	yacht	游艇
ibérico	Iberian	ibérico	ibérique	伊比利亚半岛的
idoso, o	elderly	anciano	âgé	老人
ignorar	to ignore	ignorar	ignorer	忽视
ilegal	illegal	ilegal	illégal	非法的
iluminar	to light up	iluminar	éclairer	照亮
imaginar	to imagine	imaginar	imaginer	想像
de imediato	immediately	de inmediato	dans l'immédiat	立即
imigração, a	immigration	inmigración	immigration	移民
imigrante, o/a	immigrant	inmigrante	immigrant	移民
impossível	impossible	imposible	impossible	不可能的
imprensa, a	press	prensa	presse	报刊
impressora, a	printer	impresora	imprimante	打印机
incêndio, o	fire	incendio	incendie	火灾
incluir	to include	incluir	inclure	包括
incomodar	to bother	incomodar	déranger	打扰
incrível	incredible	increíble	incroyable	绝妙的
independente	independent	independiente	indépendant	独立的
industrial	industrial	industrial	industriel	工业的
inesperado	unexpected	inesperado	inattendu	意想不到的
inesquecível	unforgettable	inolvidable	inoubliable	难忘的
inferno, o	hell	infierno	enfer	地狱
inflamado	inflamed, sore	inflamado	enflammé	发炎，疼痛
influência, a	influence	influencia	influence	影响
informar	to inform	informar	informer	通知

PORTUGUÊS	INGLÊS	ESPANHOL	FRANCÊS	MANDARIM
inquilino, o	tenant	inquilino	locataire	租户
inscrever-se (em)	to sign up (for)	inscribirse (en)	s'inscrire (à)	报名参加
inscrição, a	application	inscripción	inscription	报名
inscrito	signed up	inscrito	inscrit	註冊
inseguro	unsafe	inseguro	dangereux	不安全的
inseto, o	insect	insecto	insecte	昆虫
inspetor, o	detective inspector	inspector	inspecteur	调查员
inspiração, a	inspiration	inspiración	inspiration	灵感
instalações, as	facilities	instalaciones	installations	设施
instalar	to install	instalar	installer	安装
instante, o	moment	instante	instant	瞬间, 顷刻
instrumento musical, o	musical instrument	instrumento musical	instrument de musique	乐器
inteiro	whole	entero	entier	完整的
inteligência, a	intelligence	inteligencia	intelligence	智力, 才智
interesse, o	interest	interés	intérêt	兴趣
interior	interior, inside	interior	intérieur	室内, 内部
internacional	international	internacional	international	国际
internar	to admit (to hospital)	internar	hospitaliser	入（院）
intérprete, o/a	interpreter	intérprete	interprète	口译员
interrogatório, o	questioning	interrogatorio	interrogatoire	提问, 审问
interromper	to interrupt	interrumpir	interrompre	中断
intoxicação, a	(food) poisoning	intoxicación	intoxication	（食物）中毒
inveja, a	envy	envidia	envie	妒忌
invejoso	envious	envidioso	envieux	善妒的
inventar	to invent	inventar	inventer	发明
investigação, a	research	investigación	recherche	研究
ir parar (algures)	to end up (somewhere)	ir a parar (en algún lugar)	se retrouver (quelque part)	结束于（某地）
Isso mesmo!	That's right!	¡Eso mismo!	C'est ça!	没错！
Isto não presta!	This is rubbish!	¡Esto no sirve!	C'est nul!	这太差劲了！
já que	as, since	ya que	puisque	因为
jacarandá, o	jacaranda	jacarandá	palissandre	蓝花楹
jipe, o	jeep	jeep	jeep	吉普车
jogador, o	player	jugador	joueur	运动员
jogar à bola	to play football	jugar al balón	jouer au ballon	踢足球
jogos olímpicos, os	Olympic Games	juegos olímpicos	jeux olympiques	奥林匹克运动会
jornalismo, o	journalism	periodismo	journalisme	新闻工作
juntar	to add	juntar	ajouter	加入
lã, a	wool	lana	laine	羊毛
em lado nenhum	nowhere	en ningún lado	nulle part	到处都没有
por um lado	on one hand	por un lado	d'une part	一方面
por outro lado	on the other hand	por otro lado	d'autre part	另一方面
ladrão, o	thief	ladrón	voleur	贼
lamentar	to be sorry, to regret	lamentar	regretter	惋惜
lâmpada, a	lightbulb	bombilla	ampoule	灯/灯泡
lançar	to throw	lanzar	lancer	抛出
laranjeira, a	orange tree	naranjo	oranger	橘子树
largo, o	square	plaza	place	广场
largura, a	width	anchura	largeur	宽度
lavagem, a	washing	lavado	lavage	洗, 洗涤
leão, o	lion	león	lion	狮子
legendas, as	subtitles	subtítulos	sous-titres	字幕
leitão, o	piglet	lechón	cochon de lait	乳猪
leitura, a	reading	lectura	lecture	阅读
lembrança, a	souvenir	recuerdo	souvenir	纪念品
lenda, a	legend	leyenda	légende	传说, 神话

PORTUGUÊS	INGLÊS	ESPANHOL	FRANCÊS	MANDARIM
lentes de contacto, as	contact lenses	lentes de contacto	lentilles de contact	隐形眼镜
levantar (a mesa)	to clear (the table)	levantar (la mesa)	débarrasser (la table)	清理桌子
lição, a	lesson	lección	leçon	课，教训
licenciado	BA graduate	licenciado	diplômé	获得学士学位的
licenciatura, a	BA	licenciatura	licence	学士学位
lidar (com)	to deal (with)	lidiar (con)	gérer	处理，应付
ligado	(switched) on	conectado	branché	开启
ligar	to connect	conectar	brancher	连接
Não ligues a isso!	Just ignore it!	No le hagas caso!	Laisse tomber!	别理会！
ligeiro	light	ligero	léger	清淡的
limite, o	limit	límite	limite	限制
limpeza, a	cleaning	limpieza	nettoyage	清洁
lince, o	lynx	lince	lynx	山猫，猞猁
literário	literary	literario	littéraire	文学的
literatura, a	literature	literatura	littérature	文学，文学作品
lobo, o	wolf	lobo	loup	狼
local	local	local	local	本地的，当地的
local, o	location	local	local	地点，位置
localização, a	location	ubicación	localisation	地点，位置
localizar	to locate	ubicar	localiser	位于
logo que	as soon as	en cuanto	dès que	一…就
Logo que possível.	As soon as possible.	Lo antes posible.	Dès que possible.	尽快
louco	crazy	loco	fou	疯狂的
loucura, a	madness	locura	folie	疯狂
lume, o	light, flame	fuego	feu	火
lutar	to fight	luchar	lutter	战斗，斗争
luxo, o	luxury	lujo	luxe	奢侈
maçã, a	apple	manzana	pomme	苹果
macaco, o	monkey	mono	singe	猴子
madeira, a	wood	madera	bois	木材
madrugada, a	dawn	madrugada	aube	清晨时分，黎明
maduro	ripe	maduro	mûr	成熟的
magnífico	magnificent	magnífico	magnifique	华丽的
magoar-se	to get hurt	lastimarse	se faire mal	受伤
maioria, a	majority	mayoría	majorité	多数，大部分
Mal eu sabia que...	Little did I know that...	Ni sabía que...	Je ne pensais pas que...	我几乎一无所知…
mal pago	underpaid	mal pago	mal payé	报酬过低
malpassado	rare	poco hecho	saignant	不太熟的
maldisposto	in a bad mood	mal dispuesto	de mauvaise humeur	心情不好的
mal-educado	rude	maleducado	mal élevé	没有教养的
mancha, a	spot, stain	mancha	tache	斑点
mandar (fazer algo)	to tell somebody to do something	mandar (a hacer algo)	demander à qqn. de faire qqch.	命令（做某事）
mandarim	mandarin	mandarín	mandarin	普通话
manter	to keep, to maintain	mantener	maintenir	保持/维持
manter a linha	to keep one's figure	mantener la línea	garder la ligne	保持体形
manter-se em forma	to keep in shape	mantenerse en forma	se maintenir en forme	保持体形
máquina de barbear, a	shaver	afeitadora	rasoir électrique	电动剃须刀
maratona, a	marathon	maratón	marathon	马拉松
maravilha, a	wonder	maravilla	merveille	奇迹，奇事
maravilhoso	wonderful	maravilloso	merveilleux	奇妙的，极好的
marcar um golo	to score a goal	marcar un gol	marquer un but	进球得分
marina, a	marina	puerto	marina	游艇码头
marisco, o	seafood	marisco	fruits de mer	海鲜，贝类
masculino	male, masculine	masculino	masculin	男子气的
massa, a	pasta	pasta	pâtes	面食

PORTUGUÊS	INGLÊS	ESPANHOL	FRANCÊS	MANDARIM
matar	to kill	matar	tuer	杀死
matemática, a	mathematics	matemática	mathématiques	数学
matéria, a	subject	materia	matière	主题/事项
material, o	material	material	matériel	材料
máximo	maximum	máximo	maximum	最大/高/多的
mecânico, o	mechanic	mecánico	mécanique	机修工，机械师
medalha, a	medal	medalla	médaille	奖章
média, a	average	media	moyenne	平均数
média, os	the media	medios	les médias	媒体
medida, a	measurement, measure	medida	mesure	测量，措施
medieval	medieval	medieval	médiéval	中世纪的
medir	to measure	medir	mesurer	测量
meia, a	sock	calcetín	chaussette	袜子
meigo	gentle	cariñoso	affectueux	温和的，驯良的
melhorar	to improve	mejorar	améliorer	改善
membro, o	member	miembro	membre	成员
memória, a	memory	memoria	mémoire	记忆
menino, o	boy	niño	garçon	男孩
mensalidade, a	monthly payment	mensualidad	mensualité	月费
mensalmente	monthly	mensualmente	tous les mois	每月一次
mentir	to lie	mentir	mentir	撒谎
mentira, a	lie	mentira	mensonge	谎言
mentiroso	liar	mentiroso	menteur	爱说谎的
merecer	to deserve	merecer	mériter	应得
mesmo assim	even so	aún así	quand même	即便如此
mestrado, o	master's degree	máster	master	硕士学位
mestre, o/a	master	máster	maître	硕士
metade, a	half	mitad	moitié	一半
metal, o	metal	metal	métal	金属
meter	to put	meter	mettre	放
meter-se em sarilhos	to get into trouble	meterse en problemas	s'attirer des ennuis	惹上麻烦
mexer (com)	to move (someone)	tocar	toucher	感动
mexer-se	to move	moverse	se bouger	移动
micro-ondas, o	microwave	microondas	micro-ondes	微波炉
mimado	spoiled (child)	mimado	gâté	娇生惯养
mistério, o	mystery	misterio	mystère	谜，奥秘
mobilado	furnished	amueblado	meublé	配家具的
moda, a	fashion	moda	mode	时尚
modalidade, a	(sports) discipline	modalidad	modalité	(体育)比赛项目
modelo, o	model	modelo	modèle	型号
moderado	moderate	moderado	modéré	适度的，温和的
modesto	modest	modesto	humble	谦虚的
modo, o	way, mode	modo	mode	方法，方式
molhado	wet	mojado	mouillé	湿的，淋湿的
monótono	monotonous	monótono	monotone	单调的
montra, a	shop window	escaparate	vitrine	橱窗
morador, o	dweller	morador	riverain	居民
morto	dead	muerto	mort	死亡
mosca, a	fly (insect)	mosca	mouche	苍蝇
motivo, o	reason	motivo	motif	动机，理由
motor, o	engine	motor	moteur	引擎
motorista, o/a	driver	conductor	chauffeur	驾驶员
mover	to move	mover	déplacer	移动
movimentar-se	to move around	desplazarse	se déplacer	走动
muçulmano, o	Muslim	musulmán	musulman	穆斯林的

PORTUGUÊS	INGLÊS	ESPANHOL	FRANCÊS	MANDARIM
mudança, a	change	cambio	changement	改变，转变
muralha, a	wall	muralla	muraille	城墙
musical, o	musical	musical	musical	音乐的，音乐剧
nação, a	nation	nación	nation	国家
nacional	national	nacional	national	国家的
nadador-salvador, o	lifeguard	socorrista	maître-nageur	救生员
Não há paciência!	This is intolerable!	¡Esto es vergonzoso!	Je n'en peux plus!	受不了！
Não importa!	Never mind!	¡No importa!	Ce n'est pas grave!	没关系！
Não interessa!	Never mind!	¡No interesa!	Peu importe!	没关系！
Não leve a mal!	No offense!	¡No lo tome a mal!	Ne le prenez pas mal!	别介意！
Não se incomode!	Don't bother!	¡No se moleste!	Ne vous dérangez pas!	别费劲！
Não tem nada a ver!	It's got nothing to do with it!	¡No tiene nada que ver!	Ça n'a rien à voir!	这完全不相干！
natação, a	swimming	natación	natation	游泳
natal	home (town)	natal	(ville) natale	出生的
natas, as	cream	nata	crème	奶油
nativo	native	nativo	natif	天生的，本地的
natural	natural	natural	naturel	自然的
naturalidade, a	place of birth	lugar de nacimiento	originaire de	出生地
necessariamente	necessarily	necesariamente	forcément	必然地
necessário	necessary	necesario	nécessaire	必要的
necessidade, a	necessity	necesidad	besoin	需要，必要性
negativo	negative	negativo	négatif	负面的
Nem por isso!	Not really!	¡Ni un poco!	Pas vraiment!	事实上不是
nervos, os	nerves	nervios	nerfs	紧张
nervoso	nervous	nervioso	nerveux	紧张的
nível, o	level	nivel	niveau	水平
no entanto	however	no obstante	toutefois	然而
noitada, a	night out	velada	nuit dehors	通宵
nojo, o	disgust	asco	dégoût	恶心的，厌恶的
nora, a	daughter-in-law	nuera	belle-fille	媳妇
normalidade, a	normality	normalidad	normalité	常态
nota, a	mark	nota	note	成绩
noticiário, o	news	noticiario	journal	新闻
novidade, a	novelty	novedad	nouveauté	新事，消息
nublado	cloudy	nublado	nuageux	多云的，阴天的
objetivo, o	goal	objetivo	objectif	目标，目的
objeto, o	object	objeto	objet	物体
obra de arte, a	work of art	obra de arte	œuvre d'art	艺术品
obras, as	works	obras	travaux	工程
obrigatório	mandatory	obligatorio	obligatoire	强制的
óbvio	obvious	obvio	évident	明显的
ocupar	to occupy	ocupar	occuper	占据
odiar	to hate	odiar	haïr	恨
ódio, o	hate	odio	haine	怨恨
ofender	to offend	ofender	offenser	冒犯
ofendido	offended	ofendido	offensé	生气的
oficial	oficial	oficial	officiel	官方的
oficina, a	car repair shop	taller	atelier (garage)	修车间
óleo, o	oil	aceite	huile	油
omitir	to omit	omitir	omettre	遗忘，遗漏
onda, a	wave	ola	vague	浪，波浪
opção, a	option	opción	option	选择
operário, o	factory worker	operario	ouvrier	工厂工人
opinião, a	opinion	opinión	opinion	意见
oportunidade, a	opportunity	oportunidad	opportunité	机会

PORTUGUÊS	INGLÊS	ESPANHOL	FRANCÊS	MANDARIM
ordem, a	order	orden	ordre	次序，秩序
ordenado, o	salary	sueldo	salaire	工资
organização, a	organisation	organización	organisation	组织，体制
organizar	to organise	organizar	organiser	组织
orgulho, o	pride	orgullo	orgueil	自豪
orgulhoso	proud	orgulloso	orgueilleux	骄傲的，自豪的
origem, a	origin	origen	origine	起源，出身
osso, o	bone	hueso	os	骨
ouro, o	gold	oro	or	黄金
Paciência...	Deal with it...	Acéptalo...	Tant pis...	忍耐…
paciente	patient	paciente	patient	耐心的
padre, o	priest	padre	curé	神父
pagar à parte	pay separately	pagar aparte	payer à part	分开付账
paixão, a	passion	pasión	passion	热情，爱好
pálido	pale	pálido	pâle	苍白的
panela, a	pan	olla	casserole	锅，平底锅
papel higiénico, o	toilet paper	papel higiénico	papier toilette	卫生纸
papel, o	paper, role	papel	papier, rôle	纸，角色
paralelo	parallel	paralelo	parallèle	平行的
parar (de fazer algo)	to stop (doing something)	parar (de hacer algo)	arrêter (de faire quelque chose)	停止（做某事）
parecido (com)	similar (to)	parecido (a)	ressembler (à)	类似于
participação, a	participation	participación	participation	参与
participar	to participate	participar	participer	参与
partilhar	to share	compartir	partager	分享
a partir de	from	a partir de	à partir de	从…起
partir-se	to break	romperse	se casser	砸碎
parvo	silly	tonto	bête	愚蠢的
passadeira, a	pedestrian crossing	paso de peatones	passage des piétons	斑马线
passado, o	past	pasado	passé	过去
passagem, a	passage	paso	passage	通过，经过
passar (um recibo)	to issue (a receipt)	hacer (un recibo)	émettre (un reçu)	开（收据）
pássaro, o	bird	pájaro	oiseau	鸟
passe, o	pass (monthly ticket)	abono	pass	通行证（月票）
passo, o	step	paso	pas	步
pasta, a	folder	carpeta	dossier	文件夹
pastilha elástica, a	chewing gum	chicle	chewing-gum	口香糖
pata, a	paw	pata	patte	爪
patinagem, a	skating	patinaje	patinage	滑冰
peão, o	pedestrian	peatón	piéton	行人
ao pé de	next to	al pie de	à côté de	在…附近
pedido, o	request, order	solicitude, pedido	demande	请求，订单，点菜
pedra, a	stone	piedra	pierre	石头
pele, a	skin	piel	peau	皮肤
Pelo contrário!	On the contrary!	¡Por el contrario!	Au contraire!	相反！
pelo, o	fur	pelo	poil	毛皮
pendurar	to hang	colgar	accrocher	悬挂
pensão, a	guesthouse	pensión	pension	宾馆
pentear	to comb	peinar	coiffer	梳洗
pepino, o	cucumber	pepino	concombre	黄瓜
percurso, o	route	camino	parcours, route	路线
perda, a	loss	pérdida	perte	损失
perfil, o	profile	perfil	profil	特质
perigo, o	danger	peligro	danger	危险
permissão, a	permission	permiso	permission	许可
permitir	to permit	permitir	permettre	准许

PORTUGUÊS	INGLÊS	ESPANHOL	FRANCÊS	MANDARIM
perpendicular	perpendicular	perpendicular	perpendiculaire	垂直的
personagem, o/a	character	personaje	personnage	角色，人物
personalidade, a	personality	personalidad	personnalité	人格，个性
pesadelo, o	nightmare	pesadilla	cauchemar	恶梦
pesca, a	fishing	pesca	pêche	钓鱼
peso, o	weight	peso	poids	重量
pesquisa, a	survey, research	búsqueda, investigación	recherche	调查
pessoal	personal	personal	personnel	个人的
picar	to chop	picar	hacher	切碎
piloto, o/a	pilot	piloto	pilote	飞行员
pimenta, a	pepper (spice)	pimienta	poivre	胡椒
pimento, o	pepper (vegetable)	pimiento	poivron	辣椒
pingar	to drip	gotear	couler	滴，滴下
pinguim, o	penguin	pingüino	pingouin	企鹅
pintura, a	painting	pintura	peinture	画
piorar	to worsen	empeorar	empirer	恶化
pipocas, as	popcorn	palomitas	pop-corn	爆米花
pisar	to step (on something)	pisar	écraser	踩
piza, a	pizza	pizza	pizza	比萨饼
plástico, o	plastic	plástico	plastique	塑料
plateia, a	auditorium, stalls	platea	parterre (théâtre)	礼堂座位
pneu, o	tyre	neumático	pneu	轮胎
pobreza, a	poverty	pobreza	pauvreté	贫困
poema, o	poem	poema	poème	诗歌
poeta, o/a	poet	poeta	poète	诗人
policial, o	crime story	policial	policier	警匪小说
político, o	politician	político	politicien	政治家
poluição, a	pollution	contaminación	pollution	污染
pombo, o	pigeon	paloma	pigeon	鸽子
ponto, o	point	punto	point	点，位置
ponto de encontro, o	meeting point	punto de encuentro	point de rencontre	会面点
pontual	punctual	puntual	ponctuel	准时的
população, a	population	población	population	人口
por pouco	almost	por poco	presque	几乎
porcaria, a	rubbish	porquería	nul	垃圾
porcelana, a	porcelain	porcelana	porcelaine	瓷器
porco, o	pig, pork	cerdo	porc	猪，猪肉
porém	however	pero	néanmoins	然而
pormenor, o	detail	pormenor	détail	细节
portagem, a	toll	peaje	péage	通行费
portanto	therefore	por tanto	donc	因此
portar-se	to behave	portarse	se comporter	表现
portátil, o	laptop	portátil	ordinateur portable	手提电脑
posição, a	position	posición	position	职位
positivo	positive	positivo	positif	积极的，正面的
possibilidade, a	possibility	posibilidad	possibilité	可能性
povo, o	people	pueblo	peuple	人民
praça de táxis, a	taxi rank	parada de taxis	place de taxis	出租车站
prancha, a	board	plancha	planche	板
prateleira, a	shelf	estantería	étagère	架子
praticamente	practically	prácticamente	pratiquement	实际上
praticar	to practise	practicar	pratiquer	练习
prazer, o	pleasure	placer	plaisir	愉快
precipitação, a	precipitation	precipitación	précipitation	降雨
preferência, a	preference	preferencia	préférence	偏好

PORTUGUÊS	INGLÊS	ESPANHOL	FRANCÊS	MANDARIM
de preferência	preferably	preferentemente	de préférence	最好
prémio, o	prize	premio	prix	奖项
prender	to arrest	arrestar	arrêter	逮捕
presença, a	presence	presencia	présence	出席
presente	present	presente	présent	在场的，在座的
preso	under arrest	preso	prisonnier	囚禁的，被困的
Não presta!	It's no good!	¡No sirve de nada!	Ça sert à rien!	不好
prestável	helpful	prestable	serviable	有帮助的
pretender	to intend	pretender	avoir l'intention de	打算，想要
previsão do tempo, a	weather forecast	pronóstico del tiempo	prévision météorologique	天气预报
principal	main	principal	principal	主要的
principalmente	mainly	principalmente	surtout	主要地
princípio	beginning	principio	début	开始，开头
prisão, a	prison	prisión	prison	监狱
privado	private	privado	prive	私人的
à procura de	looking for	en busca de	à la recherche de	寻找
produzir	to produce	producir	produire	生产
profissional	professional	profesional	professionnel	专业的，职业的
profundidade, a	depth	profundidad	profondeur	深度
profundo	deep	profundo	profond	深的
programa, o	program	programa	programme	节目
proibir	to forbid	prohibir	interdire	禁止
projetar	to design	proyectar	dessiner	设计
projeto, o	project	proyecto	projet	项目，计划
prometer	to promise	prometer	promettre	承诺
pronúncia, a	pronunciation	pronunciación	prononciation	发音
pronunciar	to pronounce	pronunciar	prononcer	发音
proposta, a	proposal	propuesta	proposition	建议，计划书
proprietário, o	owner	propietario	propriétaire	所有者
próprio	own	propio	propre	自己的
protetor solar, o	sunscreen	protector solar	crème solaire	防晒霜
psicólogo, o	psychologist	psicólogo	psychologue	心理学家
psiquiátrico	psychiatric	psiquiátrico	psychiatre	精神病学的
publicar	to publish	publicar	publier	发布，出版
publicidade, a	advertising, commercials	publicidad	publicité	广告
público	public	público	public	公共的
público, o	audience	público	public	公众，观众
puxar	to pull	tirar	tirer	拉
qualidade, a	quality	calidad	qualité	质量
qualificações, as	qualifications	cualificaciones	qualifications	资格，执照
qualquer	any	cualquier	n'importe lequel	任何
quanto a...	as for...	en cuanto a...	quant à...	至于…
quartel de bombeiros, o	fire station	parque de bomberos	caserne de pompiers	消防局
Que remédio!	I can't help it!	¡Qué remedio!	Pas le choix!	我没办法！
queda, a	fall	caída	chute	倒塌，坠下
queimado	burnt	quemado	brûlé	烧焦的
queixar-se (de)	to complain (about)	quejarse (de)	se plaindre (de)	抱怨
Quem está a seguir?	Who's next?	¿Quién sigue?	Qui suivez-vous?	谁是下一个？
questão, a	question	cuestión	question	问题
questionário, o	questionnaire	cuestionario	questionnaire	问卷
química, a	chemistry	química	chimie	化学
quinta, a	farm	quinta	ferme	庄园，农场
quotidiano	daily life	vida cotidiana	quotidien	日常生活
raça, a	breed	raza	race	品种
rainha, a	queen	reina	reine	皇后

PORTUGUÊS	INGLÊS	ESPANHOL	FRANCÊS	MANDARIM
raio X, o	X-ray	rayo x	rayon x	X光
ralar	to grate	rallar	râper	磨碎, 擦碎
raquete, a	racket	raqueta	raquette	球拍
raro	rare	raro	rare	稀少的, 罕见的
rato, o	mouse	ratón	souris	老鼠, 滑鼠
razão, a	reason	razón	raison	原因, 理由
reação, a	reaction	reacción	réaction	反应
realizador, o	(film) director	realizador	réalisateur	导演
realizar	to direct	realizar	réaliser	执导（电影）
realmente	really	realmente	effectivement	确实
recear	to be afraid	temer	craindre	害怕
rececionista, o/a	receptionist	recepcionista	réceptionniste	接待员
recentemente	recently	recientemente	récemment	最近
recibo, o	receipt	recibo	reçu	收据
reclamação, a	complaint	reclamación	réclamation	投诉
reconhecer	to recognise	reconocer	reconnaître	认出
recordação, a	souvenir	recuerdo	souvenir	纪念品
recuperar	to recover	recuperar	récupérer	康复, 復原
rede social, a	social network	red social	réseau social	社交网络
redondo	round	redondo	rond	圆形的, 球形的
reduzir	to lower	reducir	réduire	减少, 缩减
de referência	of reference	de referencia	de référence	参考
referir	to mention	mencionar	mentionner	言及, 谈及
refletir	to reflect	reflejar	réfléchir	反射
regra, a	rule	regla	règle	规则
regular	regular	regular	régulier	普通的, 一般的
rei, o	king	rey	roi	国王
reino, o	kingdom	reino	royaume	王国
relação, a	relation	relación	relation	关系
em relação a	in relation to	en relación con	à propos de	有关
relações públicas, as	public relations	relaciones públicas	relations publiques	公共关系
relatório, o	report	informe	rapport	报告
relaxar	to relax	relajar	se détendre	放松
religião, a	religion	religión	religion	宗教
remo, o	rowing	remo	rame	划船
renda, a	rent	renta	rente	租金
renovar	to renew	renovar	rénover	翻新, 更新
reparar (algo)	to fix	reparar (algo)	réparer (quelque chose)	修理（某物）
reparar (em algo)	to notice	fijarse (en algo)	réparer (sur quelque chose)	注意到（某物）
reservado	reserved	reservado	réservé	慎重的, 缄默的
residência, a	residence	residencia	résidence	住处, 居所
residir	to reside	residir	résider	居住
resistente	resistant, strong	resistente	résistant	持久的, 坚强的
resolver	to solve	resolver	résoudre	解决
respeitar	to respect	respetar	respecter	尊重, 尊敬
respeito, o	respect	respeto	respect	尊重, 尊敬
respirar	to breathe	respirar	respirer	呼吸
responsabilidade, a	responsibility	responsabilidad	responsabilité	职责, 责任
responsável	responsible	responsable	responsable	有责任的, 负责的
em resposta a	in response to	en respuesta a	en réponse à	对…的回应
restar	to remain	quedar	rester	剩下
resto, o	remainder	resto	reste	剩馀, 其馀
resultado, o	result	resultado	résultat	结果
resultar (em)	to result (in)	resultar	conduire (à)	导致
retrato, o	portrait	retrato	portrait	肖像

PORTUGUÊS	INGLÊS	ESPANHOL	FRANCÊS	MANDARIM
reunião, a	meeting	reunión	réunion	会议
reunir-se	to meet	reunirse	faire une réunion	见面
revisão, a	revision	revisión	révision	複习
ridículo	ridiculous	ridículo	ridicule	荒谬的
rígido	rigid	rígido	rigide	严格的，死板的
rijo	tough	duro	dur	硬的（肉类）
rinque de patinagem, o	skating rink	pista de patinaje	patinoire	滑冰场
riqueza, a	wealth	riqueza	richesse	财富
risco, o	risk	riesgo	risque	风险
em risco de	in risk of	en riesgo de	au risque de	冒…风险，有…的危险
roda, a	wheel	rueda	roue	轮子
rodar	to shoot	rodar	tourner	拍摄（电影）
rodela, a	slice	rodaja	rondelle	薄片
rodoviária, a	bus station	terminal de autobuses	gare routière	长途汽车总站
rosa, a	rose	rosa	rose	玫瑰
roubo, o	theft	robo	vol	盗窃
roupa interior, a	underwear	ropa interior	sous-vêtements	内衣
roupeiro, o	closet	ropero	garde-robe	衣橱
ruído, o	noise	ruido	bruit	噪音
sabedoria, a	wisdom	sabiduría	sagesse	智慧
saber (a)	to taste (like)	saber (a)	avoir le goût (de)	有…的味道
sabor, o	taste	sabor	goût	味道
salão de beleza, o	beauty salon	salón de belleza	salon de beauté	美容院
salário, o	salary	sueldo	salaire	薪金
saltar	to jump	saltar	sauter	跳
salvar	to save	salvar	sauver	拯救
salvo erro	if memory serves me right	salvo error	sauf erreur	如果我没记错
sangue, o	blood	sangre	sang	血液
saudade, a	yearning	añoranza	nostalgie	怀念
seca, a	drought	sequía	sèche	干旱
secador, o	dryer	secador	séchoir	烘干机, 吹风机
secagem, a	drying	secado	séchage	干燥，烘干
secar	to dry	secar	sécher	使乾燥（烘乾，晒乾等）
segredo, o	secret	secreto	secret	秘密
segurança social, a	social security	seguridad social	sécurité sociale	社会保障
segurança, a	safety	seguridad	sécurité	安全
segurança, o/a	security guard	guardia de seguridad	vigile	保安员
segurar	to hold	sujetar	tenir	拿着，握紧
seguro, o	insurance	seguro	assurance	保险
selvagem	wild	salvaje	sauvage	野生
semanário, o	weekly (newspaper)	semanario	hebdomadaire	周刊
semelhança, a	resemblance	semejanza	ressemblance	相似
semelhante	similar	semejante	ressemblant	类似的
semestre, o	semester	semestre	semestre	学期
senhorio, o	landlord	arrendador	bailleur	房东
sensível	sensitive	sensible	sensible	敏感的
sensual	sensual	sensual	sensuel	性感的
sentido de humor, o	sense of humour	sentido del humor	sens de l'humour	幽默感
sentido, o	sense	sentido	sens	感觉，意义
de sentido único	one-way	de sentido único	à sens unique	单行，单向
sentimento, o	feeling	sentimiento	sentimento	感觉，情感
sentir-se em casa	to feel at home	sentirse en casa	se sentir chez soi	感觉自在
separação, a	separation	separación	séparation	分离
separado	separated	separado	séparé	分开的，分离的
separar	to separate	separar	séparer	分开，分离

PORTUGUÊS	INGLÊS	ESPANHOL	FRANCÊS	MANDARIM
separar-se (de)	to separate (from)	separarse (de)	se séparer (de)	与…分离
série, a	series	serie	série	系列
sério	serious	serio	sérieux	认真的，严肃的
serpente, a	snake	serpiente	serpent	蛇
serra, a	mountain range	sierra	montagnes	山脉
serviço, o	service	servicio	servisse	服务
sexo, o	gender	sexo	sexe	性别
significado, o	meaning	significado	signification	含义
significar	to mean	significar	signifier	意指，含义为…
signo, o	(zodiac) sign	signo	signe	标志，星座
silêncio, o	silence	silencio	silence	沉默
sinal (de trânsito), o	(traffic) sign	señal (de tránsito)	panneau (de signalisation routière)	（交通）信号
sinceridade, a	sincerity	sinceridad	sincérité	真诚
sincero	sincere	sincero	sincère	真诚的
sino, o	bell	campana	cloche	钟（教堂的）
sintoma, o	symptom	síntoma	symptôme	症状
sirene, a	siren	sirena	sirène	警笛声
sistema, o	system	sistema	système	系统
situação, a	situation	situación	situation	状况，处境
soar	to sound	sonar	sonner	听起来像
sobrinho, o	nephew	sobrino	neveu	侄/甥
social	social	social	social	社交的
sócio, o	partner	socio	associé	合伙人
sofrer (de)	to suffer (from)	sufrir (de)	souffrir (de)	忍受，受苦
sogro, o	father-in-law	suegro	beau-père	公公，岳父
solidão, a	loneliness	soledad	solitude	孤独，寂寞
som, o	sound	sonido	son	声音
sonho, o	dream	sueño	rêve	梦，梦想
sono, o	sleep	sueño	sommeil	睡觉，睏
sorte, a	luck	suerte	chance	运气
sotaque, o	accent	acento	accent	口音
stresse, o	stress	estrés	stress	压力
sublinhar	underline	subrayar	souligner	画线于…之下
sucesso, o	success	éxito	succès	成功
suficiente	suficient	suficiente	suffisant	充足的
suficientemente	sufficiently	suficientemente	suffisamment	足够，充足地
suicídio, o	suicide	suicidio	suicide	自杀
sujar	to make dirty	ensuciar	salir	弄脏
superior	superior	superior	supérieur	优越的
superstição, a	superstition	superstición	superstition	迷信
supersticioso	superstitious	supersticioso	superstitieux	迷信的
surgir	to arise	surgir	surgir	出现，产生
surpreendente	surprising	sorprendente	surprenant	惊人的
surpreender	to surprise	sorprender	surprendre	使惊奇
surpreendido	surprised	sorprendido	surpris	惊讶的
surpresa, a	surprise	sorpresa	surprise	惊喜
suspeitar	to suspect	sospechar	se douter de	怀疑
tabloide, o	tabloid	tabloide	tabloïd	小报
tal	such	tal	tel	这样的，如此的
talão, o	receipt	talón	ticket	票据，凭单
tanto quanto...	as far as (i know)...	hasta donde...	tant que...	据我所知…
tanto... como...	both... and...	tanto... como...	autant... que...	…和…都…
tasca, a	tavern	taberna	taverne	酒馆
tecido, o	fabric	tejido	tissu	布，织物
tecla, a	key	tecla	touche	键（电脑）

PORTUGUÊS	INGLÊS	ESPANHOL	FRANCÊS	MANDARIM
teclado, o	keyboard	teclado	clavier	键盘
tecnicamente	technically	técnicamente	techniquement	技术上
tecnologia, a	technology	tecnología	technologie	技术
telefonema, o	phone call	llamada	appel	电话通话
telenovela, a	soap opera	telenovela	feuilleton	肥皂剧
tema, o	subject	tema	thème	主题
temperar	to season	condimentar	assaisonner	调味
tempestade, a	storm	tempestad	tempête	暴风雨
templo, o	temple	templo	temple	寺，庙宇
a tempo inteiro	full time	a tiempo completo	à temps plein	全职
temporada, a	season	temporada	saison	季（电视剧）
ténis de mesa, o	table tennis	tenis de mesa	tennis de table	乒乓球
tensão, a	pressure	tensión	tension	压力（血压）
ter alta (do hospital)	to be discharged (from hospital)	recibir el alta (del hospital)	fin de l'hospitalisation	出院
ter pena (de)	to be/feel sorry (for)	sentir pena (por)	avoir pitié (de)/être désolé	感到遗憾
ter piada	to be funny/interesting	tener gracia	être drôle	好玩，有趣
terramoto, o	earthquake	terremoto	tremblement de terre	地震
terrível	terrible	terrible	terrible	可怕的
terror, o	terror	terror	terreur	恐怖
tese, a	thesis	tesis	thèse	论文
tesoura, a	scissors	tijera	ciseaux	剪刀
teste, o	test	prueba	test	测验
teto, o	ceiling	techo	plafond	天花板
texto, o	text	texto	texte	文章
tigela, a	bowl	cuenco	bol	碗
tigre, o	tiger	tigre	tigre	老虎
tinta, a	ink	tinta	encre	油墨，墨水
tirar apontamentos	to take notes	tomar apuntes	prendre des notes	记笔记
toalha, a	towel	toalla	serviette	毛巾
tocar (em)	to touch	tocar	toucher	触摸
tomar notas	to take notes	tomar nota	prendre note de	记笔记
tomar um copo	to have a drink	tomar una copa	boire un verre	喝杯酒
tonelada, a	ton	tonelada	tonne	公吨
toque, o	touch	toque	toucher	触摸
torcer (por)	to cheer (for)	animar (a)	croiser les doigts	（为）…喝彩/加油
tornar-se	to become	volverse	devenir	变成
torto	uneven	torcido	tordu	歪的，斜的
no total	in total	en total	au total	总共
tradição, a	tradition	tradición	tradition	传统
tradicional	traditional	tradicional	traditionnel	传统的
tradução, a	translation	traducción	traduction	翻译
tradutor, o	translator	traductor	traducteur	翻译员
traduzir	to translate	traducir	traduire	翻译
tratamento	treatment	tratamiento	traitement	治疗
tratar (de)	to deal (with)	encargarse (de)	s'occuper (de)	处理
tratar-se (de)	to be (about)	tratarse (de)	s'agir (de)	是…的问题，是关于…
treinador, o	coach	entrenador	entraîneur	教练
treino, o	training	entrenamiento	entraînement	训练
tristeza, a	sadness	tristeza	tristesse	悲伤
tromba, a	trunk	trompa	trompe	象鼻
tropeçar (em)	to trip (over)	tropezar con	trébucher (sur)	被…绊倒
tropical	tropical	tropical	tropical	热带的
túnel, o	tunnel	túnel	tunnel	隧道
turno, o	shift	turno	équipe	轮值
por turnos	on shifts	por turnos	par quart	轮班

PORTUGUÊS	INGLÊS	ESPANHOL	FRANCÊS	MANDARIM
ultimamente	lately	últimamente	dernièrement	最近
uma vez que...	given that...	visto que...	étant donné que...	因为，既然…
universitário	academic	universitario	universitaire	大学的
urbano	urban	urbano	urbain	城市的
urgências, as	emergency ward	urgencias	urgences	急诊室
urgente	urgent	urgente	urgent	紧急的
utente, o/a	patient, user	paciente, usuario	patient, usager	用户，病人
utilizador, o	user	usuario	utilisateur	用户
utilizar	to use	utilizar	utiliser	使用
uva, a	grape	uva	raisin	葡萄
vacina, a	vaccine	vacuna	vaccin	疫苗
vaga, a	vacancy	plaza	vacant	空缺
vaidoso	vain	vanidoso	vaniteux	虚荣的
Vale a pena!	It's worth it!	¡Vale la pena!	Ça vaut la peine!	这很值得！
valer	to be worth	valer	valoir	值得，价值
válido	valid	válido	valide	有效的
valioso	valuable	valioso	précieux	宝贵的
valor, o	value	valor	valeur	价值，价格
no valor de	in the amount of	por un valor de	d'un montant de	金额为
vantagem, a	advantage	ventaja	avantage	好处，优势
variado	varied	variado	varié	多样的
varrer	to sweep	barrer	balayer	清扫
vaso, o	vase	jarrón	vase	花瓶
vela, a	candle	vela	bougie	蜡烛
vela, a	sail	vela	voile	帆船（运动）
velocidade, a	speed	velocidad	vitesse	速度
vencer	to win	vencer	vaincre	获胜
vendedor, o	seller	vendedor	vendeur	卖家
verdadeiro	true	verdadero	vrai	真实的
vergonha, a	shame	vergüenza	honte	羞耻
veterinário, o	vet	veterinario	vétérinaire	兽医
em vez de	instead of	en vez de	au lieu de	代替，取代
de vez em quando	from time to time	de vez en cuando	de temps en temps	不时
viajante, o/a	traveller	viajero	voyageur	旅行者
viciado	addicted	adicto	vicié	成瘾
vidro, o	glass	vidrio	verre	玻璃
vigésimo	twentieth	vigésimo	vingtième	第二十
vigiar	to watch	vigilar	surveiller	看守
vila, a	small town	villa	ville	小镇
vinda, a	coming	llegada	venue	到来
violento	violent	violento	violent	暴力的
vir à cabeça	to cross one's mind	venir a la cabeza	passer par la tête	想起来
virtual	virtual	virtual	virtuel	虚拟的
visita guiada, a	guided tour	visita guiada	visite guidée	导赏
visitante, o/a	visitor	visitante	visiteur	访客，参观者
visto, o	visa	visa	visa	签证
vítima, a	victim	víctima	victime	受害者
vitória, a	victory	victoria	victoire	胜利
voar	to fly	volar	voler	飞行
vontade, a	will	ganas	envie	意愿
à vontade	comfortable with	a voluntad	à l'aise	（感到）舒服
votar (em)	to vote (for)	votar (a)	voter (pour)	投票
voto, o	vote	voto	vote	投票选举
Vou andando!	I must be going!	¡Me voy yendo!	Je m'en vais!	我要走了！